# 砂川友弘の時事漫評

1991
|
2020

沖縄タイムス社

# Ⅰ 「戦後50年」と沖縄の怒り

## 1991～1997年

**沖縄県知事** 大田昌秀(90)
**日本国首相** 宮沢喜一(91)／細川護熙(93)／羽田孜(94)／村山富市(94)／橋本龍太郎(96)
**米国大統領** ブッシュ(89)／クリントン(93)
**選挙** 衆議院議員(93・96)／参議院議員(92・95)／沖縄県議会議員(92・96)
**国民栄誉賞** 藤山一郎(92)／長谷川町子(92)／服部良一(93)／渥美清(96)
**沖縄県民葬** 屋良朝苗(97)
**五輪** バルセロナ(92)／アトランタ(96)
冬季：アルベールビル(92)／リレハンメル(94)
**スポーツ** 沖水2年連続準優勝(91)／沖尚、高校柔道初優勝(91)
**催し** 世界長寿地域宣言(95)／第2回世界のウチナーンチュ大会(95)
**経済** ウリミバエ根絶(93)
**開業** パレットくもじ(91)／首里城公園(92)／とまりん(95)／琉球朝日放送(95)
**閉店** アクアポリス(93)
**文化** 尚家文化財が那覇市に寄贈(93)／又吉栄喜、芥川賞(96)／玉那覇有公、人間国宝に(96)／目取真俊、芥川賞(97)
**社会** お笑いポーポー放映(91)／慰霊の日休日決定(91)／西表島群発地震(92)／琉球の風放映(93)／人名に「琉」認められる(97)／知念かおり、女流本因坊(97)／対馬丸確認(97)
**流行語** Ｊリーグ(93)／イチロー(94)／無党派(95)／ＮＯＭＯ(95)／失楽園(97)

## 激動の年に連載スタート

1991年

10月1日から著者が執筆陣に加わる／主な出来事
―湾岸戦争、ユーゴ内戦勃発、バブル崩壊など

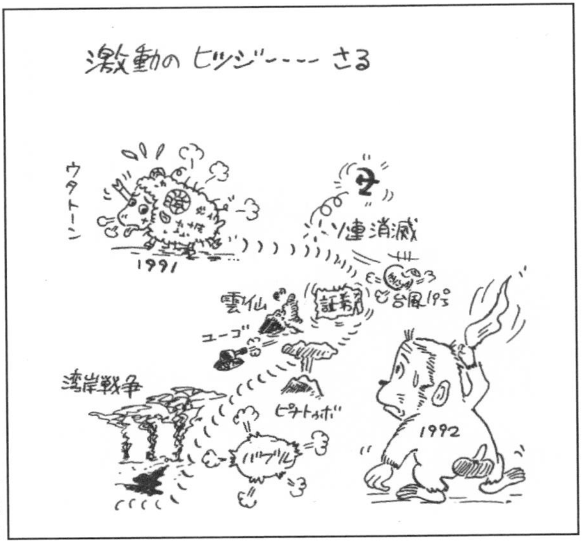

1991/12/31

## 初の県出身大臣が誕生

1991年11月15日

伊江王子家当主・伊江朝雄が沖縄開発庁長官に／
海部俊樹内閣総辞職、宮沢喜一内閣発足

1991/11/7

## ソ連邦崩壊へ

1991年12月8日

ロシアなどの3共和国がソ連の消滅を宣言／15日、ゴルバチョフ大統領が辞任

1991／12／13

## 税金滞納議員が続々判明

1991年12月19日

4市23人の議員による税滞納、駆け込み支払いが判明／氏名非公表に疑問の声

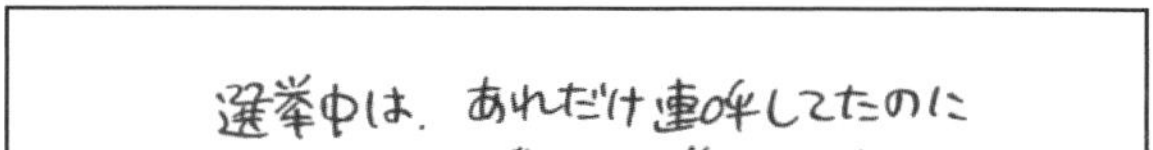

1991／12／20

## ブッシュ大統領来日

1992年1月8日

自動車業界ビッグスリーの首脳を伴い、「雇用創出の旅」として来日／夕食会では倒れ込む



1992／1／10

## 「深酒目立つ」とエリツィン大統領

1992年1月18日

ウォッカの飲み過ぎで外交的失敗と米誌が報道／ロシアは深刻な経済危機



1992／1／21

## 共和リゾート汚職で国会空転

1992年2月6日

鈴木善幸元首相への証人喚問で与野党対立／東京佐川特別背任疑惑は強制捜査へ

1992/2/10

## 嘉手納基地内のPCB汚染問題

1992年4月9日

この日重装備の米兵による処理が初確認／当初、日本人従業員は素手で作業させられていた



1992/4/11

## 平仲明信、沖縄のジム初の世界王者に

1992年4月9日

沖縄出身のボクシング世界チャンピオンは6人目



1992/4/13

## 県議選で与党惨敗

1992年6月7日

第6回県議選/保守が27議席と圧勝/大田県政初の大型選挙

1992/6/9

# 反PKOで現職議員を破る

1992年7月26日

参院選、島袋宗康氏が341票差で大城真順氏を破る／全国では自民が69議席で勝利

1992／7／29

# 知念孝、県出身者で初のメダリストに

1992年7月29日

バルセロナ五輪の体操男子団体で日本が銅メダル／知念孝は石川市出身

1992／7／31

## 暴力団事務所を強制立ち退き

１９９２年８月24日

暴力団事務所明け渡し訴訟でこの日、初の強制立ち退きが執行／すでに室内はもぬけの殻

１９９２／８／25

## 金丸信前副総裁、ヤミ献金容疑認める

１９９２年９月25日

東京佐川急便事件で５億円受領の上申書提出／28日に略式起訴され罰金20万円／10月には議員辞職

１９９２／９／28

## 貴花田・宮沢りえ結婚報道

1992年10月26日

当時20歳と19歳／人気絶頂の2人の結婚が社会的な話題に／2カ月後には破局

母ちゃん、ぼくオスモーさんに なるぞ!!

貴花田と宮沢リエさんが…

1992/10/29

## 米大統領選、クリントン当選

1992年11月3日

米国再生に向けた「変革」を旗印にしていた

1992/11/6

## 竹下登元首相への証人喚問

1992年11月26日

「ほめ殺し」中止に暴力団介在の疑惑／東京佐川急便に仲介を依頼していた疑惑も／静止画で中継

証人喚問始まる。

竹下さんが硬直してる

言語明瞭意味不明

これは正視、いや制止、いや静止、いや政死画像です。

1992／11／26

## 「沖縄特例」維持で決着

1992年12月19日

全国的に公共事業への補助率が大幅見直し／沖縄への特定補助率はカット分を特別債で補填

1992／12／21

# 政治不信頂点も「改革」進まず

1992年

1992／3／11

1992／12／10

1991年11月の内閣発足時の支持率は55％／自民党最大派閥・竹下派による支配／政界スキャンダル解明も政治改革も進まず／「首相支え、難局に対処」、補選連敗で金丸信発言（3月9日）／内閣支持率16・1％と半減、内閣改造で局面打開を目指す（12月9日）

## 4日連続砲撃演習はじまる

1993年1月26日

4日連続は復帰後初／29日までに恩納連山に588発を打ち込む

悪いことだから隠れてするのね.
(カモフラージュ・テントから環境破壊砲撃)

1993／1／28

## 中高生の事件・事故

1993年1月26日

酔った高校2年生が父親を刺殺／12日には中学生2人が死亡する事故が起きたばかり

1993／1／29

## 連合赤軍事件の「終結」

1993年2月20日

最高裁で上告棄却／21年前のあさま山荘事件が起きた日の判決

1993／2／22

## 日の丸焼却事件に判決

1993年3月23日

87年の事件に判決。懲役1年執行猶予3年／「国旗とは日の丸を指すと理解」と初の司法判断

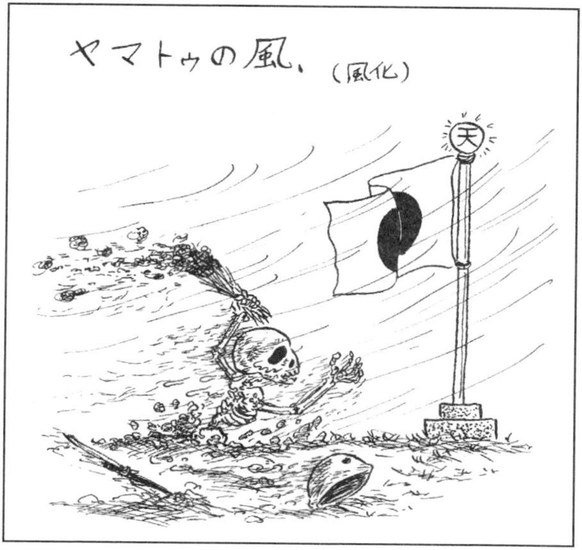

ヤマトゥの風。（風化）

天

1993／3／24

## 辺野古弾薬庫に化学兵器

1993年4月7日

ベトナム戦争で使用の毒ガス兵器が85年時点で貯蔵／資料を入手した市民団体が明らかに

前からヘノコはクサイとにらんでた……。

しゅわ！
ぶっ

1993/4/9

## ゴルフ感覚で基地内射撃練習

1993年4月8日

基地内に入った日本人が実際に発射／暴力団関係者も出入り／基地内管理のずさんさに批判

1993/4/15

# 全国植樹祭で天皇初来県

1993年4月25日

糸満市で開催／戦前・戦後を通じて初の来県／過剰警備がクローズアップされた

1993／4／19

# PKO派遣で初の犠牲者

1993年5月4日

カンボジアで武装グループに襲われた文民警察官が死亡／政府はPKO派遣継続の方針確認

1993／5／7

## 日本人留学生射殺は「正当防衛」

1993年5月23日

前年10月、ハロウィンパーティーの訪問先を間違え射殺された事件で無罪が確定

邦人の安全確保のため、米国にも自衛隊派遣か!?

USA

1993／5／25

## 皇太子と雅子さん、「結婚の儀」

1993年6月9日

皇太子徳仁親王と小和田雅子さん／オープンカーのパレードには19万人が集まる

1993／6／9

# 細川連立内閣発足　県選出初の大臣誕生

1993年8月9日

1993/8/26

7月18日に衆院選／自民党離党したグループによる新生党、新党さきがけ、日本新党、公明党、社会党などによる細川護熙連立政権が発足／上原康助氏が国土庁長官兼北海道・沖縄開発庁長官に／自民党の河野洋平総裁は代表質問で政治改革の具体策示せと迫る（8月25日）

1993/8/10

## 細川首相が「侵略戦争」と明言

1993年8月10日

組閣後初の記者会見で／国会での追及には「政治家は自らの言葉で責任を語るべき」と反論

1993/8/17

## 報道の自由をめぐり異例の証人喚問

1993年10月25日

テレビ朝日選挙報道で、前報道局長の証人喚問／報道操作はなかったと主張し、応酬は平行線

もの言えば口唇寒し 報道の秋？

TV

1993/10/28

## 「自由の音」発言

1993年11月11日

嘉手納基地の騒音について第18航空団のクライバー司令官が発言

1993／11／16

## 喜びの先島、民放テレビ放送開始

1993年12月16日

宮古・八重山で、琉球放送と沖縄テレビの放映始まる／ケーブルテレビ局はチャンネル数増で対応

1993／12／17

## 国民福祉税、深夜の発表と撤回

1994年2月3日

細川首相が消費税の廃止と7％の国民福祉税創設を発表／社会党と世論の反発で8日に撤回

1994／2／4

## ヤミ米業者暗躍

1994年2月23日

主食用輸入米の販売始まる／消費者は国産米に殺到しヤミ米が高騰／6月に早場米が出回り沈静化

あの黒い旗のが、うまそうじゃないか！

お米試食会

国産米

タイ米

ブレンド米

ヤミ米

1994／3／16

## 漂流37日も無事救助

1994年3月18日

グアム島沖で消息を絶った沖縄船籍の漁船／食べ物がない中での奇跡的な救助ケース／30日に帰郷

1994／4／1

## 細川護熙首相、8カ月で辞任を表明

1994年4月8日

佐川急便からの1億円借金やNTT株購入問題をめぐり国会は立ち往生／25日に総辞職

1994／4／12

## 連立崩壊の中で羽田孜内閣発足

1994年4月28日

25日に首班指名／新生党などが新会派「改新」結成／社会党が反発、政権離脱／少数与党での船出

まずは土台固め？

もしかして割ってるんじゃないの～？

1994／4／26

## 核持ち込み疑惑の極秘文書の存在発覚

1994年5月10日

沖縄返還交渉の密使、若泉敬の著書で／政府はその存在を否定

OKNAWAの地縛霊となりて22年…

ATOMIC BOMB

1994／5／16

## 重油流出で海上汚染

1994年5月29日

浦添市牧港で発生／流出は沖合1㌔にまで／同日、大雨の影響で各地に赤土流出も

1994／5／31

## 北朝鮮の金日成主席が死去

1994年7月8日

同日、日本初の女性宇宙飛行士・向井千秋さんを乗せた米スペースシャトルが打ち上げ成功

1994／7／11

## 政界動乱　自社さの村山富市内閣誕生

1994年6月30日

1994/7/14

29日、自民党、新党さきがけに推され社会党首相が誕生／自民党を離党し、新生党などに推された海部俊樹を破る／翌30日、河野自民党総裁を副総理兼外相とする内閣発足／緊急世論調査では支持率33％／7月20日に国会で自衛隊合憲を明言／従来の社会党基本政策を大きく転換

1994/7/5

## 「新・新党」早期結成で合意

1994年7月25日

海部元首相、羽田新生党党首、細川日本新党代表が会談／共産党を除く勢力の大同団結を目指す

やー.やー また会いましたね。

新新通り

1994／7／27

## 甲子園でのエイサー応援禁止に質問状

1994年8月17日

「華美にして奇異」だと選抜では禁止／県出身者が高野連に質問状提出も認められず

1994／8／19

## 「基地と共存・共栄」の宝珠山発言

1994年9月9日

宝珠山昇・防衛施設庁長官が記者会見で／社会党県本は罷免を求め党本部との関係凍結

1994／9／14

## ホワイトハウスに小型機墜落

1994年9月12日

この年沖縄ではF15とヘリ（4月）、ハリアー機（8月）、ヘリ（11月）と墜落相次ぐ

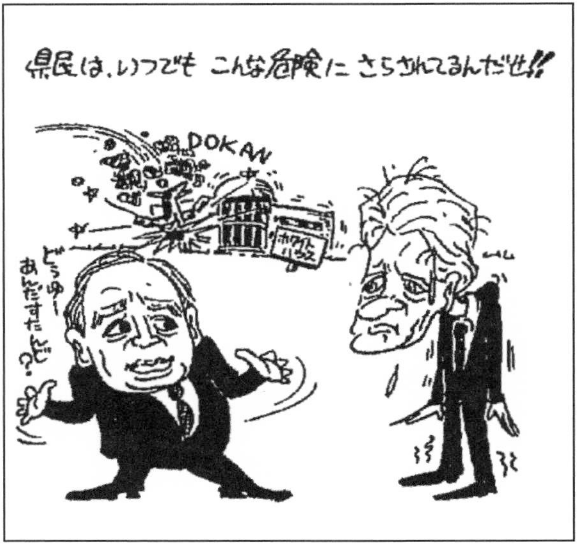

1994／9／13

## イチローが200本安打達成

1994年9月20日

プロ野球史上初で一躍スーパースターに／小沢一郎は「新・新党」幹事長に名が挙っていた



1994／9／22

## 大田昌秀知事、大差で再選

1994年11月20日

県知事選で33万票を獲得、翁長助裕氏に11万票差／投票率は過去最低の62・54％

1994／11／22

## 伊良部町議の大半が逮捕

1995年1月9日

金銭で無投票に持ち込んだ容疑で20人中15人が／移送のためチャーター機も／13日には町長も逮捕

さみしい

伊良部町議会

一時移転のお知らせ

1995／1／11

## 阪神・淡路大震災

1995年1月17日

死者は5000人超／ライフラインは寸断／ピーク時には31万人以上が避難

1995／1／19

# 地下鉄サリン事件　オウムに全国震撼

1995年3月20日

東京都内の地下鉄でサリンがまかれる／死傷者3200人超の無差別テロ事件／23日、山梨県上九一色村のオウム真理教施設を強制捜査、幹部を逮捕／前年6月の松本サリン事件、公証役場職員の監禁致死事件も／4月には幹部刺殺事件／5月16日に教祖・麻原彰晃容疑者逮捕

1995／3／21

1995／4／18

## 戦争マラリア補償　見舞金受け入れへ

1995年3月31日

軍命ながら補償がなかった問題／犠牲者援護会が基金による「慰謝事業」の受け入れを県に表明

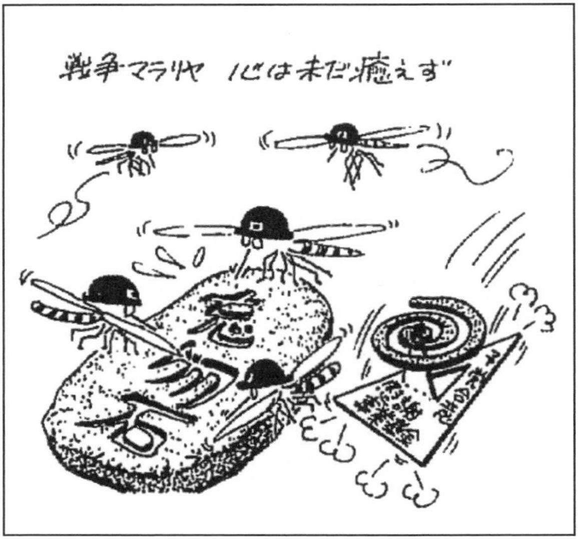

1995/4/3

## 軍転法が成立へ

1995年4月25日

返還軍用地の跡利用促進を図る法案で自社両党合意／5月5日可決、6月20日施行

1995/4/27

## 那覇市でごみ分別はじまる

1995年5月29日

幅広く利用されてきた古いポリ袋は使用できなくなった

1995／5／30

## 戦後50年決議を衆院が採択

1995年6月9日

国会が歴史認識を決議で表明するのは初／「植民地支配」「侵略的行為」を明記

1995／6／12

## 「平和の礎」除幕

1995年6月23日

沖縄戦での全犠牲者23万人余の名を刻む／三権の長が揃っての来県は県政初

1995／6／26

## 抗議の県民大会に8万5000人

1995年10月21日

少女暴行事件の糾弾と地位協定見直しを要求する大会は予想を超え、復帰後最大規模に

1995／10／23

# 代理署名拒否　基地縮小を要求

1995年

1995／12／7

米軍用地強制使用の手続きである代理署名を大田知事が拒否（9月29日）／同問題で「首相の頭が悪い」と発言したとされる宝珠山防衛施設庁長官が更迭（10月19日）／村山首相は、「国の事務の管理もしくは執行を怠」ったとして知事を提訴（12月7日）、法廷闘争へ突入



1995／10／4

## 村山内閣総辞職、橋本龍太郎内閣発足

１９９６年１月５日

この日村山富市首相が退陣を表明／11日、橋本龍太郎自民党総裁が首相に就任



1996／1／5

## 住専処理に批判高まる

１９９６年３月４日

破綻した住宅金融専門会社のための予算案通過阻止のため新進党がピケ／審議空転で成立は５月に

1996／3／5

## 「象のオリ」にフェンス

1996年3月26日

楚辺通信所、3月末での不法占拠が確実／立ち入り阻止の突貫工事は1日で完成

目的は人間より.基地の安全.

ぞ〜〜う

1996／3／25

## O157で大量食中毒

1996年7月13日

大阪の小学校で発生／カイワレ騒動も／6月には女子中学生拉致事件が本島北部で発生

1996／7／16

## 代理署名訴訟で正当性主張も全面敗訴

1996年3月25日・8月28日

1996/8/28

国と県が争った前例のない大型訴訟／県申請の証人は一人も採用されず知事尋問で結審（3月11日）／2週間後には28日までに署名を命じる判決（25日）／上告審で最高裁は「署名拒否を放置すれば、国は日米安保条約の履行義務に支障が生じ」るとして、知事敗訴が確定（8月28日）

1996/3/12

## 普天間返還合意　県内移設に不安と拒絶

1996年4月12日

1996／4／16

1996／9／18

橋本・モンデール会談で5〜7年内の返還で合意と発表／返還条件に①県内にヘリポート建設②嘉手納飛行場への機能糖合③空中給油機を岩国基地—など／9月16日、3自治体による移設反対の連絡協議会結成／17日に来県した橋本首相は撤去可能な海上ヘリポート案を検討と言及

## 県民投票　投票率は56・38％

1996年9月8日

「基地縮小」賛成は89％／自民党県連が一時投票棄権を呼び掛けるなど複雑な事情も浮き彫りに

高処の見物

棄権

キケンですよ

投票所

1996／9／2

## 国との対立　1年ぶりに収束へ

1996年9月13日

大田知事が米軍用地強制使用手続きの代行応諾を表明／10日に知事と会談した橋本首相は17日来県

1996／9／11

## 衆院選で沖縄から6人当選

1996年10月20日

初の小選挙区比例代表並立制実施／小選挙区と比例復活で初の6人／全国、自民復調で単独内閣へ

いざ、国会へ!! 6人衆

OKINAWAの課題

1996／10／22

## 沖縄振興策　各省庁が88事業提示

1996年11月12日

代行応諾を受けて設置された沖縄政策協議会の第2回／10分野別にチームを新設し具体的な検討へ

1996／11／14

## 石垣島でオウム真理教幹部逮捕

1996年12月3日

博多から偽名使いフェリーで来島したと見られる／90年4月に信者獲得の大規模セミナー開催の地

石垣にオームが…!

1996／12／4

## 前厚生省次官が6千万円の授受認める

1996年12月11日

全面否認から供述一転もわいろ性は否定／後に事務次官経験者初の実刑確定となる

1996／12／12

## 海上ヘリポートの事前調査要請を拒否

1997年1月21日

比嘉鉄也名護市長は県が同席して説明すべきと拒否／4月18日「事前調査のみ」の受け入れを表明

ウチナーの桜は、そう簡単には散らない……

1997／1／22

## 米軍機が劣化ウラン弾誤射

1997年2月10日

鳥島射爆場での誤射を外務省が発表／日本では使用禁止／1年以上経過してからの通報

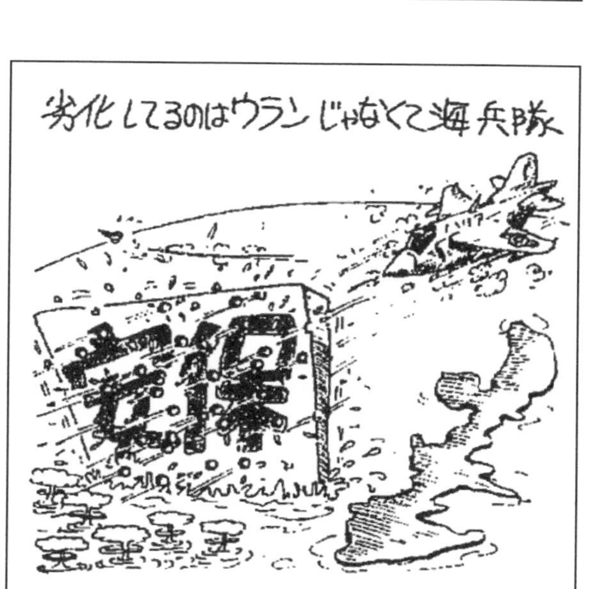


1997／2／11

## 消費税　3%から5%にアップ

1997年4月1日

89年4月の導入から初の税率引き上げ／平均的な家族で年7～8万円の負担増と試算

大波

1997／4／1

## 諫早湾で潮受け堤防閉め切り

1997年4月14日

国内最大級の干潟を農地にするため、鉄の水門が海に突き刺さるさまは「ギロチン」と呼ばれた

1997／5／20

## 米軍用地特措法が改正される

1997年4月17日

期限切れ後も国の暫定使用が可能に／2週間のスピード成立／国会も沖縄の基地過重を是認した形

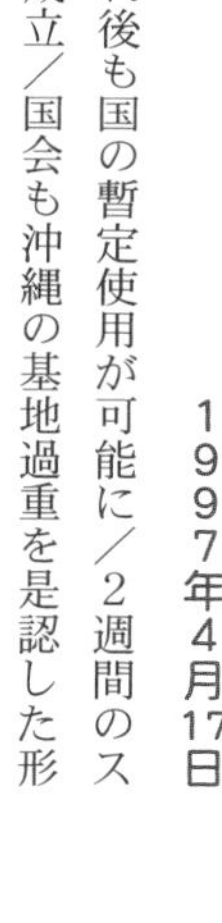


1997／3／24

## ペルー日本大使公邸人質事件が解決

1997年4月22日

発生から127日目、特殊部隊が公邸に強行突入／72人中71人の人質（うち県系人2人）が救出

1997／4／24

## 「酒鬼薔薇」事件　中3の少年を逮捕

1997年6月28日

殺害後、切断した頭部に挑戦状を添えて校門前に放置という犯罪史上まれにみる残虐な事件

いやな時世

キャッ

1997/6/30

## 香港返還　1世紀半の英統治に幕

1997年7月1日

中国の江沢民主席が「一国二制度」の堅持を宣言／返還後も国防と外交を除く高度の自治権を行使

1997/7/1

# 2001年から全県FTZに

1997年7月20日

県の規制緩和検討委員会が沖縄全体を無関税するとの結論を出す／24日に知事に報告書を提出

1997／7／22

# ダイアナ元英皇太子妃が交通事故死

1997年8月31日

元妃を乗せた車が「パパラッチ」に追跡された末に／9月の英国民葬は全世界にテレビ中継

1997／9／2

## 「周辺有事」の新ガイドライン決定

1997年9月23日

19年ぶりの改定／日米の防衛協力の対象を周辺有事に拡大し地域は特定せず／具体例として40項目

1997／9／25

## 山一証券が自主廃業 金融不安頂点に

1997年11月24日

この年後半だけでも北海道拓殖銀行、三洋証券が経営破綻／預金保護のために10兆円の国債発行へ

1997／11／27

# 吉元政矩副知事の再任案否決

1997年12月22日

新風会離脱ほか与党意思統一なしで投票／「自分への不信任と同じ」とした大田知事に大きな痛手

1997／12／3

# 新進党　解党を両院総会で正式決定

1997年12月27日

6党に分裂／94年の結成から3年で崩壊／保保連合か野党結集かの路線対立から

1997／12／29

# 名護市民投票　反対派勝利も混乱収まらず

1997年12月21日

海上ヘリ基地建設の是非を問う／条件付きを合わせた反対票が52・85％、投票率は82・45％／防衛施設局職員の戸別訪問、閣僚の相次ぐ名護入りなど政府の介入目立つ／企業組織ぐるみの不在者投票強要も／24日、比嘉名護市長は橋本首相に海上基地受け入れと辞任を表明

1997/12/18

1997/12/22

# Ⅱ　迷走の15年問題と「9・11」

1998～2002年

**沖縄県知事**　大田昌秀(90)／稲嶺恵一(98)

**日本国首相**　橋本龍太郎(96)／小渕恵三(98)／森喜朗(00)／小泉純一郎(01)

**米国大統領**　クリントン(93)／ブッシュ(01)

**選挙**　衆議院議員(00)／参議院議員(98・01)／沖縄県議会議員(00)

**国民栄誉賞**　吉田正(98)／黒澤明(98)／高橋尚子(00)

**沖縄県民栄誉賞**　沖縄尚学高校野球部(99)

**沖縄県民葬**　西銘順治(01)

**五輪**　シドニー(00)　冬季：長野(98)／ソルトレークシティ(02)

**スポーツ**　21世紀枠で宜野座甲子園初出場(01)／諸見里しのぶ、最年少予選通過(01)

**催し**　第3回世界のウチナーンチュ大会(01)

**経済**　オリオン、アサヒ業務提携(02)

**開業**　那覇空港新ターミナルビル(99)／沖縄美ら海水族館(02)／那覇メインプレイス(02)／東浜マリンタウン(02)

**閉店**　海洋博沖縄館(98)／沖縄山形屋(99)／国映館(02)

**文化**　人間国宝3年連続、宮平初子(98)／与那嶺貞(99)／島袋正雄・照喜名朝一・平良敏子(00)／琉球王国のグスクおよび関連遺産群が世界遺産に(00)

**社会**　紅白歌合戦に県勢5組(98)／「かりゆしウエア」に名称統一(00)／ナビィの恋ヒット(00)／ちゅらさん放映(01)／異常潮位(01)／男性平均寿命、26位に急落(02)

**流行語**　凡人・軍人・変人(98)／IT革命(00)／タマちゃん (02)

## 海上ヘリ基地反対を表明　代償は返還凍結

１９９８年２月６日

やはり、売り物ではありません!

振興策

スカッ

おきなわ

1998／2／7

大田知事が正式表明／名護市民投票の結果、全会一致の県議会の県内移設反対決議などを理由に挙げた／公有水面使用許可などの権限は知事にあり、基地建設は暗礁に／橋本首相との会談前の表明に政府は不快感

1998／1／22

## 名護市長選　岸本建男氏当選

1998年2月8日

海上ヘリ基地容認派が推す候補／七曲がりは名護のかつての曲がりくねった海岸沿いの道

1998／2／10

## 日の丸飛行隊とバタフライナイフ

1998年2月17日

長野五輪スキージャンプ団体で金メダル獲得／同時期、中学生のナイフ使用での刺傷事件が相次ぐ

どうする。こちらの日の丸悲行隊

1998／2／18

## 県知事選　上原康助氏に出馬要請へ

１９９８年３月14日

自民党県連役員会で確認／社民党衆院議員への要請に波紋／20日に上原氏は不出馬を明言



1998／3／16

## 新「民主党」結成で４党合意

１９９８年３月12日

細分化していた野党勢力は衆参１４０人規模の大野党に再編／４月に菅直人代表選出で結成大会

1998／3／18

# 改正沖縄振興開発特別措置法が施行

１９９８年４月１日

特別自由貿易地域（ＦＴＺ）制度の創設など税制優遇措置を盛り込む／国際都市形成構想を後押し

エイプリルフールってことじゃないよな…。

改正沖振法 4月1日施行

MEN SŌRE OKINAWA

税制優遇

特別FTZ

企業

1998/3/31

# 32年間君臨のスハルト大統領辞任表明

１９９８年５月21日

インドネシア／辞任と政治改革を求める学生が国会を占拠、群衆が議事堂前を埋めた中での表明

1998/5/19

## 和歌山毒物カレー事件

1998年7月25日

ヒ素混入のカレーを食べた4人が死亡／12月に容疑者逮捕／その後も毒物混入が続き社会問題に

飲食前の新マナー

1998/9/7

## 橋本首相退陣、小渕恵三政権発足

1998年7月30日

12日の参院選で自民敗北／この日誕生の内閣は宮沢蔵相起用で話題／発足時支持率32％は過去最低

支持率は崖下からのスタート

1998/8/4

## 「人の道に反する」と大田知事を批判

1998年8月6日

野中広務官房長官が記者会見で／退陣した橋本前首相に挨拶がないことに／副知事との面会も拒否

「人の道」とのたまう。

1998/8/10

## 米は「不適切な関係」 ロは政経の危機

1998年8月17日

この日、クリントン米大統領が不倫を認める／ロシアではルーブル切り下げの中で首相が解任

2大国は政変と性変で・・・。

1998/8/25

## テポドン発射　日本列島飛び越す

1998年8月31日

弾道ミサイルを発射／日米は戦略ミサイル防衛構想について研究実施へ向け作業を進める方針

1998／9／3

## ひき逃げ事件でも地位協定の壁

1998年10月7日

米兵による女子高生ひき逃げ事件発生／「凶悪事件ではない」と起訴前の身柄引き渡し求めず

1998／10／12

## 稲嶺恵一新知事誕生　保守が県政奪還

1998年11月15日

現職大田氏に3万7千票差／「県政不況」と主張／北部に最長15年限定の軍民共用空港建設が公約

追い風に乗って！

知事選ゴール

1998／11／16

## 最悪の不況下で過去最大の国債発行

1998年12月20日

大蔵省が発行計画を提示／空前の発行規模に小渕首相は「世界一の借金王になってしまった」

1998／12／22

## 五輪史上最悪のスキャンダル

１９９９年１月25日

五輪招致に絡む買収疑惑でＩＯＣ委員の追放を発表／帳簿焼却の長野五輪にも疑惑は飛び火

まだ、疑惑追及の熱はサマランチ…。

１９９９／１／26

## ＮＹ株１万ドル突破　景気上昇８年目

１９９９年３月16日

ダウ工業株30種平均の１万ドル突破は初／12月にはさらに史上最高値で米国の活況続く

１９９９／３／18

## NATO軍がユーゴスラビア空爆開始

1999年3月24日

安保理決議なしで初の主権国家攻撃は78日間続く／空爆後は大量のアルバニア人が難民に

1999／3／31

## 沖縄尚学高校、県勢初の甲子園V

1999年4月4日

第71回選抜大会／甲子園の土を海に捨てた初出場の首里高校から41年、念願の優勝旗が海を渡る

1999／4／5

# サミット　首脳会議は名護市に決定

1999年4月29日

1999／4／29

1999／6／21

翌年のサミットを「九州・沖縄サミット」とし、首脳会議を名護市で開くことを発表／閣僚会議との予想を覆すサプライズ／「人間の安全保障」は軍事力ではカバーできない環境破壊や貧困、難民などの問題に総合的に対応／この年のケルン・サミットでも重要なテーマに

# 漫湖がラムサール条約に登録される

1999年5月15日

国際的に貴重な湿地と認定／飛来する野鳥は年々減少、開発による環境悪化など課題も

さあ、登録湿地にふさわしくしなくちゃー。

漫湖

1999／5／17

# ハリアー攻撃機が墜落・炎上

1999年6月4日

嘉手納飛行場から離陸しようとしてエンジンから火／4月にCH53ヘリが国頭沖に墜落したばかり

1999／6／7

# ガイドライン法成立　重要法案成立続々

1999年5月24日

もうできちゃった…。

1999／5／25

日米防衛協力のための新指針関連法／「周辺事態」発生の場合、自衛隊による米軍への後方支援を可能とした／沖縄公聴会から5日後の成立／1月に自由党、7月には公明党と連携、10月に連立内閣発足で政権基盤安定／8月には重要法案が次々と成立／「真空総理」と評する声も

1999／7／29

# 新平和祈念資料館の展示変更が発覚

1999年8月11日

県平和祈念資料館の展示内容に、稲嶺知事が見直しを指示／日本兵が構えていた銃が抜かれていた

1999/8/12

# 介護保険の報酬高めに「民活」促す

1999年8月23日

厚生省が報酬仮単価を決定／利用者はサービス費の1割は利用者負担／翌年4月から制度スタート

1999/8/25

1998〜2002

## 東海村で国内初の臨界被ばく事故

1999年9月30日

69人が被ばく／バケツを使うなど手抜き作業が原因／10月20日、核武装発言の防衛政務次官更迭

1999／10／21

## 政府に新案浮上　移設後15年で再検討

1999年11月7日

前月の稲嶺知事からの使用期限要求を受け、政府が／米の内部報告書には「耐用200年」と明記

1999／11／8

## 普天間飛行場の移設先は「辺野古」

1999年11月22日

稲嶺知事が名護市辺野古沿岸域と発表／「なぜ辺野古か」を説明できず批判高まる

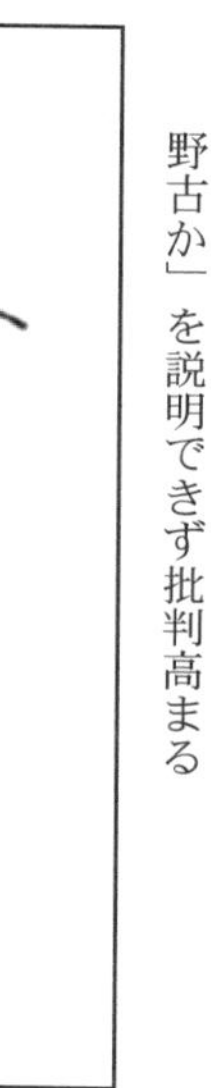


1999／11／23

## 岸本名護市長、条件付き受け入れ表明

1999年12月27日

基本条件は7分野／28日、政府は条件を受け入れた閣議決定／15年問題は「米側と引き続き協議」

1999／12／29

## エリツィン・ロシア大統領電撃辞任

1999年12月31日

大統領代行には首相だったプーチンを指名／2000年3月の大統領選で当選

2000年問題の影響かと……

2000／1／5

## 石原慎太郎都知事、次々と新機軸

2000年2月19日

ディーゼル車への排ガス規制方針を発表／7日には銀行への外形標準課税導入を打ち出したばかり

嵐を呼ぶ都知事

2000／2／21

## 新石垣空港、カラ岳陸上に決定

2000年3月11日

位置選定委員会で合意／76年の計画選定から3度にわたる予定地変更された末の「着地」



2000／3／13

## 横山ノック前府知事がわいせつ認める

2000年3月21日

初公判でそれまでの否認から一転／その他アレフ申告漏れ、もんじゅ訴訟、警察不祥事

2000／3／22

## 小渕首相、脳梗塞で倒れる

2000年4月3日

前日に首相が緊急入院／青木幹雄官房長官が首相の意を受け首相臨時代理に／4日に内閣総辞職

後継は青木ヶ原の森・野中？

2000／4／5

## 森新首相、「天皇中心の神の国」発言

2000年5月15日

4月5日、全閣僚再任の森喜朗内閣発足／8日、「教育勅語のいいところは採用すべき」とも発言

2000／5／17

# 県議選・衆院選　自公協力で潮流変化

2000年6月11日・6月25日

県議選は与党が勢力拡大／衆院選は自民後退も自公保で安定多数／県内では初めての自公選挙協力

その大船に肖からせて…。

2000/6/13

# 初の南北首脳会談　共同宣言に署名

2000年6月13日

韓国の金大中大統領と北朝鮮の金正日総書記が平壌で会談／金大統領は12月にノーベル平和賞に

2000/6/14

# 沖縄サミット開催　伝わったか「沖縄の心」

2000年7月21日～23日

基地も　NEVER END？

さあ訓練開始だ!!

15年

2000／7／24

日本初の地方開催サミット／クリントン米大統領が平和の礎を訪問（21日）／歓迎レセプションでは安室奈美恵さんがイメージソング「NEVER END」を熱唱（22日）／直前の20日には嘉手納基地包囲／同日、守礼門が描かれた2千円札発行／小渕前首相は5月14日死去

2000／5／15

## 本国で事故　普天間主力ヘリ飛行停止

2000年8月28日

オスプレイ含む米海兵隊の主力3機種／同月、三菱自動車の30年にわたるクレーム情報隠蔽発覚

欠陥仲間だぞー。

2000/8/30

## シドニー五輪で高橋尚子が金メダル

2000年9月24日

日本陸上では64年ぶり、女子陸上では初めての金メダル／10月には国民栄誉賞

2000/9/25

## ON決戦へ プロ野球2大スター

2000年10月7日

この日ダイエーがリーグ優勝／知名度が高い候補が出た政党が有利となる非拘束式は26日に成立



2000/10/9

## ジュゴン保護勧告 日米除く全会一致

2000年10月11日

国際自然保護連合（IUCN）がジュゴンとやんばるの森の調査保護を求める

2000/10/12

# 「神の手」は捏造だった

2000年11月5日

遺跡発掘で数々の新発見をしていた考古学研究家が、事前に石器を埋めている姿がスクープされる

2000/11/7

# 32年ぶりに保守那覇市政

2000年11月12日

那覇市長選で翁長雄志氏が当選／県内初の女性市長を目指した堀川美智子候補を破る

2000/11/14

## 「加藤の乱」抑え内閣不信任案否決

2000年11月21日

賛成を表明していた加藤紘一氏は欠席／本会議では演説中の議員がコップの水をまいたため大混乱

コップの中の嵐は水に流れて・・・・

2000／11／22

## 大混乱の米大統領選

2000年12月13日

票の読み取り疑義があったフロリダ州の結果は法廷闘争に発展／この日、ブッシュ候補の当選確定

2000／12／12

## 知事らは「ばかで腰抜け」と中傷

2001年2月6日

四軍調整官がメールで「彼らをそう呼ぶのを楽しんできた」／前月の県議会海兵隊削減決議に不満

良き隣人は、私的な会話で楽しんでいた。

四軍調整官
Hailston
Governor
HA HA HA-
Hi Hi Hi
they are
all nuts
wimps

2001/2/7

## 衝突事件でもゴルフ続行

2001年2月9日

ハワイ沖で高校の実習船が米原潜と衝突し沈没／一報後もゴルフを続けた森首相への批判大きく

2001/2/15

## 21世紀枠の宜野座高校 ベスト4に

2001年4月2日

この選抜大会から新設された21世紀枠で初出場／この日、延長戦の熱戦の末ベスト4に進出

21世紀の波は沖縄から！
ワクワク野球
ギノザ
甲子園

2001／4／2

## 「つくる会」執筆の教科書、検定合格

2001年4月3日

現行教科書を「自虐的」と批判の「新しい歴史教科書をつくる会」／戦争美化の記述も残る

2001／4／5

## 森喜朗首相辞任

2001年4月6日

森首相が公式に退陣を表明／常に「資質」が問われていた／12日は96年の普天間返還合意の日

2001／4／12

## 皇太子妃雅子さま、懐妊の報道

2001年4月16日

12月1日に長女、敬宮愛子さま誕生／紀宮さま以来9人連続女子の誕生／森内閣の総辞職は26日

2001／4／17

# 小泉純一郎内閣発足「小泉劇場」開幕

2001年4月26日

2001／5／2

自民党総裁選で小泉純一郎氏が橋本元首相らを破り圧勝（24日）／組閣では5人の女性、3人の民間人閣僚抜擢など「脱派閥人事」（26日）／政策面では「聖域なき構造改革」を掲げ、国民直結型の政治スタイルを確立／驚異的な支持率で7月の参院選では大勝した

2001／8／20

## 田中真紀子外相の暗闘続く

2001年5月11日

機密費詐欺事件などで批判の外務省の改革を宣言／この日、同省を「伏魔殿」と称し対決姿勢鮮明



2001／5／14

## 控訴断念で支持率最高潮に

2001年5月23日

11日、ハンセン病訴訟で原告全面勝訴／小泉首相が控訴断念を最終決断／患者への新たな支援策も

2001／5／24

## 震撼の「9・11」報復のアフガン空爆

2001年9月11日

2001/9/13

米国内線の旅客機4機が乗っ取られ、2機が世界貿易センタービルに突入／米国はテロ組織・アルカイダをかくまっているアフガニスタンのタリバン政権への報復空爆（10月7日）／同時期に米国で炭疽菌テロ／日本は10月にテロ対策特別措置法が成立、11月自衛艦がインド洋派遣



2001/9/25

## キャンセル24万件　観光安全PR開始

２００１年10月15日

この日、県議会が観光安全宣言／19日に県も「だいじょうぶさぁー沖縄」キャンペーン実施と発表

２００１／10／16

## 第３回世界のウチナーンチュ大会

２００１年11月１日

６年ぶりの開催に、世界に散ったウチナーンチュ約４千人が再開を喜び合った

２００１／11／６

1998〜2002

## 失業率過去最悪

2001年10月30日

この日発表の完全失業率は9・4％／「県政不況」を批判して登場した稲嶺知事は苦しい立場に

2001／12／13

## 狂牛病　安全宣言も不安収まらず

2001年11月18日

9月に国内初の狂牛病確認／この日全頭検査実施／政府対応の不手際もあり「牛肉離れ」が加速

2001／11／22

## 成人式、今年も大荒れ

2002年1月13日

全国的に話題となって1年／那覇市の式典では7人逮捕／今年から式典は実行委員会に委ねていた



2002／1／14

## ブッシュ大統領が「悪の枢軸」と非難

2002年1月19日

一般教書演説でイラク、北朝鮮、イランを非難／2月に来日し流鏑馬を鑑賞

2002／2／19

## 田中真紀子外相更迭と不発弾持ち込み

2002年1月29日

国会混乱の責任で小泉首相が断／15日には県庁内に不発弾が職員によって持ち込まれ、騒ぎに

危険物の取扱いには気を付けよう.

DO-KAN

不発弾

県庁

2002／2／21

## 辻本清美氏が秘書給与不正疑惑で辞職

2002年3月26日

鈴木宗男議員を「疑惑の総合商社」と追及していたさなか／同様の疑惑で他の議員も辞職

2002／3／25

## 新沖縄振興特別措置法が成立

2002年3月29日

今後10年間の沖縄振興の指針／格差是正を目指した従来法から「沖縄の自立発展」を目標に据えた

さあ、立ち上がるぞ！

2002／4／8

## 瀋陽・亡命者連行事件

2002年5月8日

北朝鮮脱出の一家が日本総領事館に駆け込んだが全員が拘束／日本側の同意の有無で日中が対立

2002／5／14

## 鈴木宗男衆院議員を逮捕

2002年6月19日

国後島の友好の家（ムネオハウス）の不正入札など多くの疑惑／一連の事件で12人が起訴された

新ムネオハウス…?

WELCOME

2002／6／20

## 真紀子と康夫　2人の「田中」が窮地

2002年7月1日・5日

自民党から党員資格停止処分／長野県議会が知事不信任を可決／貴乃花は7場所連続休場中

2002／7／8

# 住民基本台帳ネットワーク稼働

2002年8月6日

全国民に住民番号を付与／各地で障害相次ぐ／この年、日韓共催のサッカーW杯

2002/7/23

# 名護市内のパイン畑に銃弾

2002年7月23日

県警の鑑定で米軍の銃弾と判明したが、訓練で使用したとする機関銃とは線条痕が一致しなかった

2002/7/24

## 沖縄平和賞にペシャワール会

２００２年８月30日

この日授賞式／会はアフガニスタンを中心に医療活動を続ける。代表は中村哲氏

２００２／９／２

## 日朝首脳会談・拉致被害者帰国

２００２年９月17日

電撃訪問の小泉首相が金正日総書記と首脳会談／10月15日に拉致被害者５人が24年ぶりに帰国

２００２／９／18

# 稲嶺知事が歴史的圧勝で再選

2002年11月17日

元副知事の吉元政矩氏に21万票差／野党陣営は社民系と共産系に分裂／県知事選では初めて保革一騎打ちの構図が崩れた／投票率は知事選最低の57％にとどまった

2002／11／18

2002／10／22

## 公約違反の国債30兆円突破

2002年11月21日

小泉首相は「政策転換ではない」を主張／翌年1月23日、「大したことない」と国会で答弁



2002／11／25

## 泡瀬埋め立て事業　護岸工事はじまる

2002年12月19日

24日には工事に伴って消失する海草の移植作業も始まる／地元の賛否は分かれたまま

2002／12／19

# Ⅲ　修正「V字案」とヘリ墜落

2003～2008年

**沖縄県知事**　稲嶺恵一（98）／仲井真弘多（06）

**日本国首相**　小泉純一郎（01）／安倍晋三（06）／福田康夫（07）／麻生太郎（08）

**米国大統領**　ブッシュ（01）

**選挙**　衆議院議員（03・05）／参議院議員（04・07）／沖縄県議会議員（04・08）

**沖縄県民栄誉賞**　上与那原寛和（08）

**五輪**　アテネ（04）／北京（08）冬季：長野（98）／トリノ（06）

**スポーツ**　FC琉球創設（03）／琉球ゴールデンキングス、bjリーグ参戦（07）／大城みさき、五輪8位入賞（08）

**催し**　第4回世界のウチナーンチュ大会（06）

**経済**　那覇交通が営業譲渡（04）

**開業**　沖縄都市モノレール（03）／国立劇場おきなわ（04）／古宇利大橋（05）／石垣港離島ターミナル（07）／県立博物館・美術館（07）

**閉店**　ダイエー那覇・浦添店（05）

**文化**　城間徳太郎、人間国宝（05）／宮城能鳳、人間国宝（06）

**社会**　宮古農林に水のノーベル賞（04）／記録的豪雨で土砂災害（06）／知花くらら、世界の準ミス（06）／学力テスト、沖縄最下位（07）／教員採用試験採点ミス発覚（07）／国保交付金算定ミス、全国にも波及（07）／琉神マブヤー放映（08）

**流行語**　チョー気持ちいい（04）／イナバウアー（06）／ハニカミ王子（07）／アラフォー（08）

## 沖縄大学院大学、選考大詰め

2003年1月28日

細田博之沖縄担当相らが3候補地視察／4月に恩納村に決定／11年、沖縄科学技術大学院大学開学

2003／1／27

## 現職宜野湾市長逮捕へ

2003年2月4日

01年市長選に絡む違法献金事件で比嘉盛光市長の後援会長らが逮捕／3月、議会開会中に市長逮捕

2003／2／6

## イラク戦争開戦　8カ月後元大統領拘束

2003年3月20日

2003/3/24

大量破壊兵器捜索中

この中？

あがあが

2003/12/16

大量破壊兵器問題で各国対立の中、米英軍がイラク戦争を開始／4月にバグダッド陥落、ブッシュ米大統領は大規模戦闘の終結を宣言（5月1日）／逃亡したフセイン元大統領は拘束（12月13日）／政権崩壊後も米兵ら「占領軍」への襲撃はやまず、テロの標的は拡大

## SARSでクルーズ船「臨船検疫」

2003年5月5日

新型肺炎への懸念から接岸前に／同時期、パナウェーブ研究所の60人が岐阜、長野、山梨を移動

白装束団体が来たかと・・・・。

2003／5／7

## 兵力撤退報道　県の照会に不快感

2003年5月30日

米紙が在沖海兵隊の撤退計画を報道／県が国防総省に問い合わせ／福田康夫官房長官は不快感

2003／6／2

## 死体遺棄で中学生逮捕

2003年7月5日

北谷町で中学生殺害、この日3人が逮捕／1日には長崎で幼稚園児が突き落とされ死亡する事件



2003／7／8

## ゆいレール開業 念願の鉄軌道発進

2003年8月10日

懸念されていた採算ラインを大きく上回る乗車率で祝賀ムードに湧く

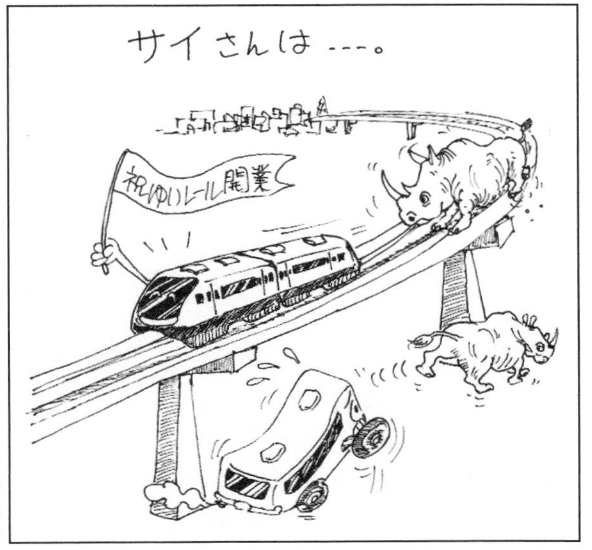


2003／8／11

## 自衛官爆死、自宅にロケット弾

2003年8月31日

沖縄市のフリーマーケットで取り扱いを誤る／軍事物資が売買される実態が浮き彫りに

街へ あふれ出す戦場

DON

放出

ここはイラクか アフガンか

2003／9／2

## 台風14号、宮古で猛威

2003年9月10日

全国歴代7位の瞬間最大風速74・1メートル／直撃後も最大約2週間にわたる停電、住民生活麻痺

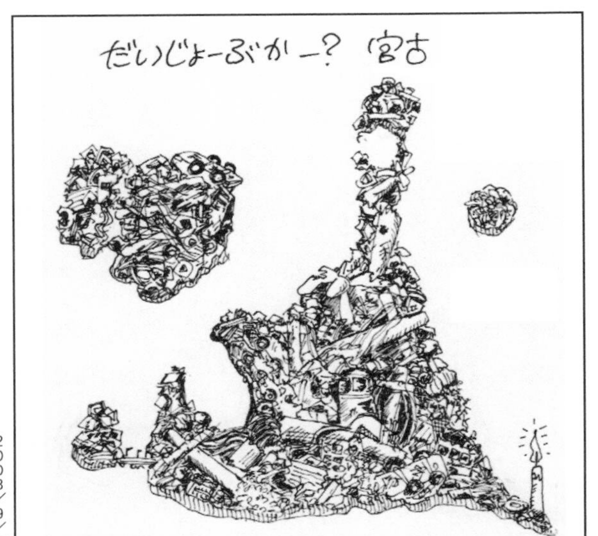


2003／9／17

## 小泉首相、大差で総裁再選

2003年9月20日

ポスト欲しさの一部議員を「毒まんじゅうを食らった」と野中広務氏が批判／22日に内閣改造

2003／9／22

## 宮里藍　史上最年少のツアー優勝

2003年9月28日

アマチュアでの優勝も30年ぶりという快挙／10月にはプロ転向を宣言し大きな脚光を浴びる

2003／9／29

## 世界自然遺産推薦に漏れた理由

2003年10月16日

遺産地域を国立公園などで保護が条件／国内法及ばぬ北部訓練場／逆にヘリパッドで固定化の懸念

2003／10／21

## 首相経験者にも73歳定年制適用

2003年10月26日

終身比例1位を確約されていた中曽根康弘元首相の引退が確定的に／この年阪神タイガース優勝

2003／10／27

## マニフェスト選挙で民主党躍進

2003年11月9日

衆院選、自民が議席減らすも連立で絶対安定多数／4選挙区となった沖縄では7人が当選

2003／11／11

## 自衛隊イラク派遣の基本計画策定

2003年12月9日

閣議決定で／「戦時」の他国領土への陸自派遣は初／この年、大リーグに移籍した松井秀喜が活躍



2003／12／9

## 鳥インフルエンザ発生

2004年1月12日

鶏の大量死と発表／日本でのウイルス確認は79年ぶり／ベトナムやタイでは人間の死者も出た

2004/1/19

## 国立劇場開館　日の丸歓迎に「動員」

2004年1月20日

天皇皇后両陛下歓迎のため那覇市が業務として日の丸を振らせようとしていた問題はこの日撤回へ

2004/1/21

## イラク派兵3千人でも駐留縮小は否定

2004年1月28日

ブラックマン四軍調整官がインタビューで／派兵は「一時的なもの」と否定、沖縄の重要性強調

沖縄常駐の必要ないってことだね。

在沖海兵隊3000人イラクへ

2004/1/29

## 三位一体改革　自治体財政が危機に

2004年3月7日

自治体の財源不足が公共料金値上げなどにつながる実態が明らかに／この日、宮里藍がプロ初優勝

2004/3/8

## 沖縄戦の教科書記述が簡素化

2004年3月31日

文科省が小学校教科書の検定結果発表／「住民虐殺」の注記が消えるなど分量、内容とも簡素化

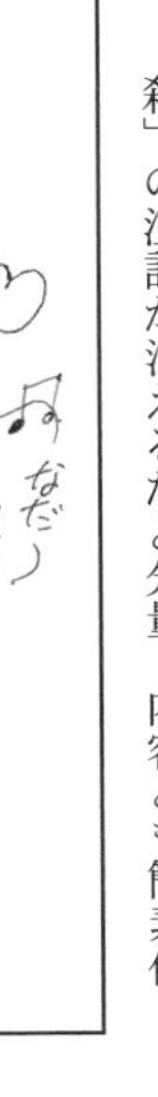


2004／4／1

## 首相の靖国参拝に違憲判決

2004年4月7日

政教分離に反すると福岡地裁判決／首相はなぜ憲法違反か理解できない」とコメント

2004／4／8

## イラクの日本人人質が解放

2004年4月15日

閣僚などから「自己責任」論が噴出／17日、ジャーナリストら2人も解放、一連の事件は解決

2004/4/19

## 国民年金未納問題　自らも未納

2004年4月28日

民主党の菅直人代表の未納歴が発覚／福田康夫官房長官らを「未納3兄弟」と命名し非難していた

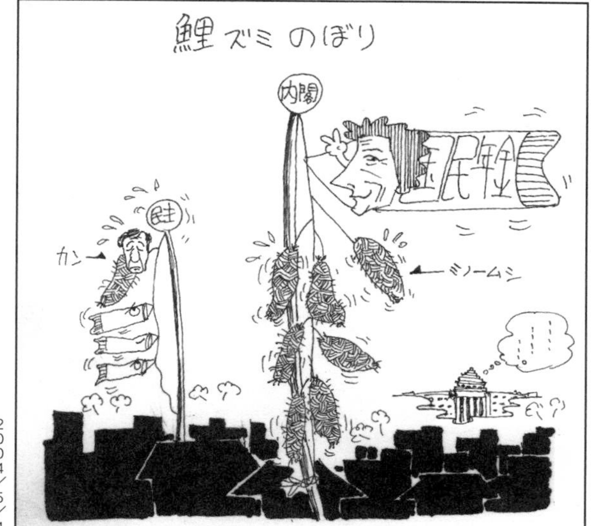


2004/5/4

## 普天間返還合意から満8年

2004年4月12日

稲嶺知事は15年期限の条件堅持／5月、伊波洋一市長は08年全面返還目指す行動計画を国に提出

2004/5/13

## 球団合併　プロ野球再編の発端

2004年6月13日

近鉄とオリックスが発表／9月、選手会が史上初のストライキ決行／50年ぶりに新球団誕生へ

2004/6/15

## 参院選、糸数慶子氏が初当選

2004年7月11日

小泉政権への批判票を集めて圧勝／全国では民主躍進、自民苦戦／比例では喜納昌吉氏初当選

沖縄から パンチ!!

NO!

2004/7/12

## 橋本龍太郎元首相、派閥会長を辞任

2004年7月30日

日歯連からの1億円献金問題で／自民党最大派閥の橋本派は参院選で勢力大幅減に続く打撃

2004/8/2

## 沖縄国際大学に米軍ヘリ墜落炎上

2004年8月13日

2004/8/15

2004/8/16

人身に被害は奇跡的になし／米軍は、事故直後から現場一帯を占拠し、大学関係者や警察、消防などを排除／南米出張を急きょ切り上げた稲嶺知事の抗議には「夏休み中」の小泉首相に代わり細田博之官房長官が対応（19日）／20日には停止していたヘリの飛行が再開された

## 小池百合子環境相、沖縄担当相も兼任

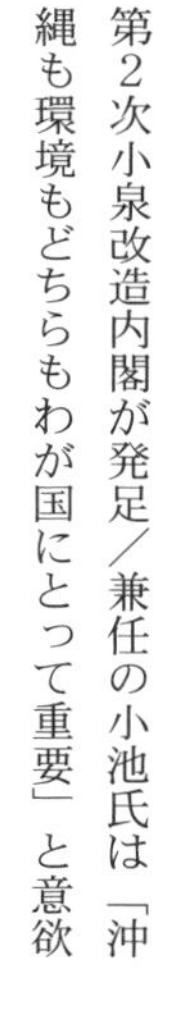

2004年9月27日

第2次小泉改造内閣が発足／兼任の小池氏は「沖縄も環境もどちらもわが国にとって重要」と意欲

2004/9/29

## 墜落同型機の飛行再開に強い反発

2004年10月13日

16日、墜落現場を視察した町村信孝外相が「操縦が上手だったかも」と発言／19日に台風最接近

2004/10/19

## ダイエー、県内全店撤退へ

2005年2月1日

経営再建のための閉鎖店舗の全容が判明／11月20日に那覇、浦添両店が閉店、30年余の歴史に幕



2005/2/3

## 県内最長　古宇利大橋が開通

2005年2月8日

全長1960メートル、無料一般道では日本一の長い橋／同日、イスラエル・パレスチナ和平交渉が再開

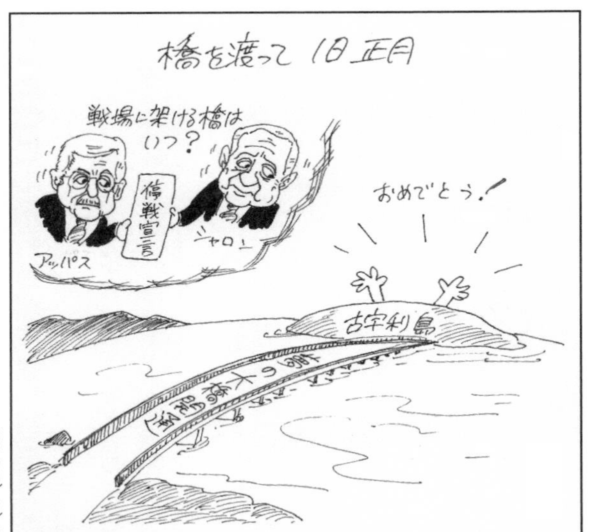


2005/2/9

## 宮里藍、海外でも活躍

2005年2月13日

この日、第1回W杯で優勝／この年国内ツアー6勝、賞金連続1億円／翌年から米ツアー本格参戦

2005／2／15

## 防衛庁長官「沖縄からの案」求める

2005年3月11日

大野功統長官が代替案あれば検討と明言／10日には小泉首相が辺野古移設絶望視との報道も

長官の下駄

辺野古はもう駄目なんだろ

オーノー

これあげる

これいらない

2005／3／14

# ハンドボール　県勢初の全国3冠へ

2005年3月29日

高校選抜で興南・陽明が優勝、県勢初の男女アベックV／男子興南はその後の総体、国体も制す



2005／3／30

# 日韓首脳会談「靖国」で溝

2005年6月20日

新たな戦没者追悼施設検討で合意も首相は「代わる施設はない」／10月には就任以来5回目の参拝

2005／6／21

# 台湾、尖閣近海に海軍巡洋艦派遣

2005年6月21日

最大野党の議員らが視察／漁場を奪われたと反発する漁民に配慮か／与党からは反対意見多数

2006/6/22

# アスベスト被害　国の怠慢明らかに

2005年7月27日

81～83年、2千のうち3工場だけを調査、その結果規制を見送る／04年度の労災認定は過去最多

2005/7/28

## 郵政解散　自民が歴史的大勝

２００５年８月８日・９月11日

郵政民営化関連法案の参院否決を受け／自民党は２９６議席を獲得、90年以来の単独過半数

２００５／８／31

## 都市型戦闘訓練施設の統合で日米合意

２００５年９月15日

移設完了までの暫定使用問題などが残っているが、４８０日以上続いた早朝抗議は終了へ

２００５／９／22

# 日米政府が沿岸案合意　米軍再編中間報告

2005年10月29日

日米安全保障協議委員会（2プラス2）で／普天間飛行場のヘリ部隊の移設先は辺野古沖埋め立て計画を見直し、キャンプ・シュワブの沿岸部を埋め立ててL字型の滑走路を建設する「沿岸案」を明記／稲嶺知事は「絶対に容認できない」、岸本名護市長も「論外」と反発

2005／11／2

2005／10／5

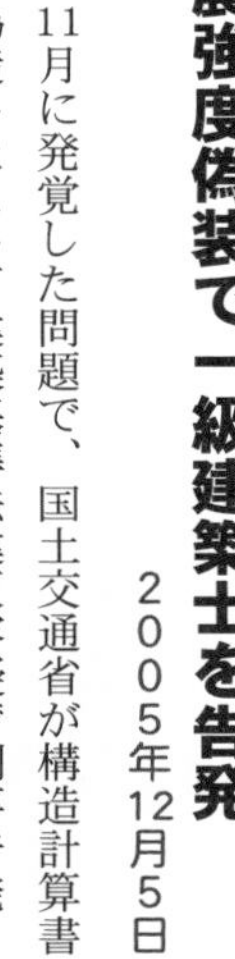

## 耐震強度偽装で一級建築士を告発

２００５年12月５日

11月に発覚した問題で、国土交通省が構造計算書偽造したとして建築基準法違反容疑で刑事告発

2005/12/6

## 基地内避難検討の県民保護案判明

２００５年12月12日

基地、離島といった独自の課題に具体策／有事の際は住民の「基地内への避難」検討を盛り込んだ

2005/12/14

# 構造改革に「見直し」過半数

2006年1月27日

共同通信の世論調査／ライブドア前社長逮捕、耐震強度偽装疑惑、米国産牛肉再禁輸問題など

2006/2/1

# ライブドアメール問題で民主党窮地

2006年2月27日

メールが自作自演と判明／3月に前原誠司代表は辞任／この年、トリノ五輪で荒川静香が金メダル

2006/2/27

2003〜2008

## 岩国市住民投票　艦載機移転反対9割

2006年3月12日

米軍再編初の住民投票／井原勝介市長は撤回方針示す／野球のWBCで米の抗議で判定変わり敗戦



2006／3／14

## 在沖米軍のグアム移転に61億ドル支出

2006年4月23日

額賀福志郎防衛庁長官とラムズフェルド米国防長官の会談で合意／日本の負担率は59％

2006／4／25

# V字案で名護市合意　最終報告に明記

2006年4月7日・5月1日

2006/4/13

島袋吉和名護市長が着陸用と離陸用に分けた滑走路を2本建設する修正案を了承／住宅地上空の飛行は避けられるとの判断／5月の在日米軍再編最終報告に盛り込まれた／11月には米側が緊急時の双方向飛行を想定、と報道／防衛施設庁は合意に反していないとの認識を示す

2006/11/7

## 米軍再編実施で閣議決定　前決定廃止

2006年5月30日

99年の閣議決定では「シュワブ沖」「軍民共用」「15年使用期限」などの方針を示していた

なんて カルイ…。

2006／5／31

## 日銀が6年ぶりにゼロ金利政策を解除

2006年7月14日

通常の金融政策に復帰／6月には福井俊彦総裁が村上ファンドに出資していたことが判明していた

2006／7／5

## 「現実遊離」と沖縄マスコミ批判

2006年7月22日

小池沖縄担当相が講演で／「沖縄のマスコミはアラブと似ている。反米以外は出てこない」

2006/7/25

## 八重山商工、甲子園で健闘

2006年8月13日

離島勢で初の甲子園出場／春夏の活躍で県民熱狂／この日、巨人・丸佳浩がいた千葉経大付に勝利

2006/8/8

## 安倍晋三内閣発足

2006年9月26日

「美しい日本」を掲げ初の戦後生まれの総理／憲法改正などに意欲／沖縄担当相は高市早苗氏

2006/9/27

## 北朝鮮が初の地下核実験

2006年10月7日

7月には弾道ミサイル発射／日本は11日に追加制裁措置決定／14日、国連安保理も制裁決議を採択

2006/10/12

## PAC3配備「喜んで」と大臣答弁

2006年10月26日

パトリオット沖縄配備で九間章生防衛庁長官／10月に全国の高校で必修科目の未履修の発覚相次ぐ

2006／10／30

## 仲井真弘多氏が新知事に

2006年11月19日

糸数慶子氏を破り初当選／12月10日付で就任／公約では普天間飛行場の3年内閉鎖を掲げていた

2006／12／12

## 郵政造反議員の復党で支持率急落

2006年11月27日

安倍首相が11議員の復党手続きを指示／平沼赳夫氏は誓約書提出せず除外された

2006/11/28

## タウンミーティング問題「教育」でも

2006年12月13日

司法・教育改革のTMで「やらせ質問」との報告書公表／愛国心強調の改正教育基本法は15日成立



2006/12/14

## 「水がめ」福地ダムから弾薬類発見

2007年1月16日

回収作業で、ペイント弾、ライフル用空包、照明弾、手りゅう弾、計7918発が確認された

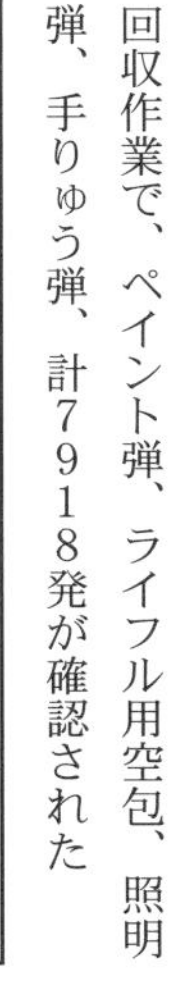


2007／1／18

## 「そのまんま東」宮崎県知事誕生

2007年1月21日

官製談合事件による前知事辞職を受けた選挙／無党派層に加え政治不信を抱く有権者を引きつけた

2007／1／23

## 一般教書演説でイラクへの増派方針

2007年1月23日

「成功への最善の機会」と強調／早期撤退求める野党や世論／前年12月にフセインの死刑執行

泥沼に一人

増派

米議会

2007／1／25

## ステルス機F22が「暫定」配備

2007年2月17・18日

米国外には初配備／F15に加え「基地機能の強化」と地元反発／嘉手納基地配備の恒常化の懸念

2007／2／19

## 「何とか還元水」で年間5000万円超

2007年3月7日

松岡利勝農相の突出した光熱水費が明らかに／5月に松岡氏は自殺／戦後初の現職大臣の自殺

2007／3／8

## 国民投票法が成立

2007年5月14日

憲法施行から60年、改正のための具体的な手順が初めて整備／投票できるのは18歳以上

2007／5／15

# 移設調査に自衛隊艦派遣

2007年5月18日

那覇防衛施設局がシュワブ沿岸部の現況調査に着手／掃海母艦「ぶんご」も調査支援名目で投入

2007/5/21

# 該当者不明の年金記録が約5千万件

2007年5月25日

この日、安倍首相が特別立法で受給者を救済する方針を明らかに／参院選を控える中、方針前倒し

2007/5/28

## 新潟中越沖地震　原発に火災・水漏れ

2007年7月16日

15人が死亡、2千人以上が負傷／柏崎刈羽原発で火災や放射性物質を含む水漏れ／安全性に不安

またも崩壊

中越沖地震

原発

安全

放射能

2007／7／18

## 参院選、自民が歴史的惨敗

2007年7月29日

民主党は参院第1党、「ねじれ国会」が出現／20日には那覇空港で中華航空機が炎上も全員無事

2007／8／22

## 安倍改造内閣発足も辞任の連鎖

２００７年９月４日

遠藤武彦農相、坂本由紀子外務政務官に続きこの日、小林温氏が議員辞職／改造前も２大臣が辞任

われら ジニン党

2007/9/5

## 安倍首相後任に福田康夫氏

２００７年９月12日・25日

安倍首相が突如辞意表明／麻生太郎氏を破り自民党総裁となった福田康夫氏が第91代首相に選出

2007/9/17

# 検定撤回求め県民総決起大会

この歴史的出来事も無かったことにしないでよ！

9・29
県民大会

文科省

2007／10／2

高校教科書検定で、「集団自決」は日本軍が強制したとの記述が、文部科学省の求めで修正されたことが明らかに（3月30日）／反発広がり、6月末までに全41市町村と県議会で抗議意見書採択／大会には計11万6千人（主催者発表）が参加／11月には教科書会社6社が訂正申請

2007／5／30

## 保留一転　知事意見提出へ

２００７年10月23日

沖縄防衛局がアセス方法書を強引に県に送付／知事は手続きの中で沖合移動を求める意向を示した

２００７／10／24

## 「大連立」構想頓挫　小沢代表が辞意

２００７年11月4日

福田首相からの提案を持ち帰ったが民主党役員会は拒否／6日には党内慰留を受け続投表明

２００７／11／5

## 防衛局、騒音・飛行経路も提示せず

2007年12月4日

アセス方法書の県審査会／大半の質問に具体的回答なし／この年、県出身の小島よしおがブレイク

そんなのカンケーねー

2007／12／6

## 2007年の漢字は「偽」

2007年12月12日

年末恒例の「今年の漢字」が発表／食品偽造、政治資金や年金記録不備の問題も理由に挙げられた

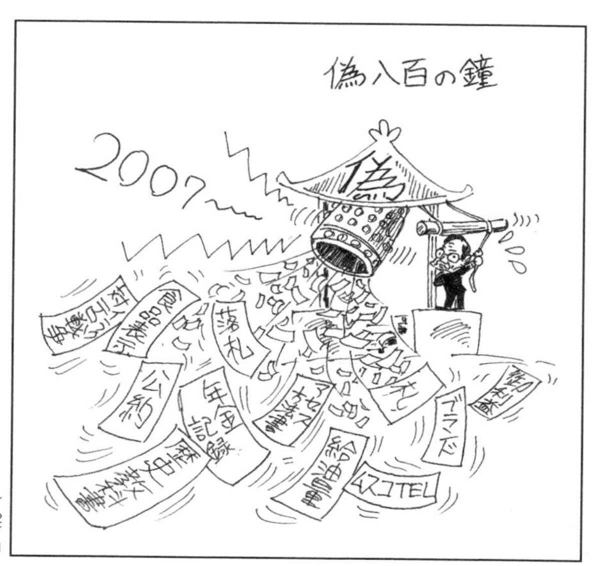


2007／12／31

## 米兵の基地外居住　1万7748人

２００８年2月22日

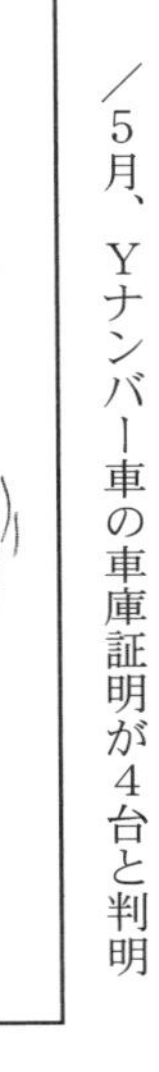

女子中学生暴行事件／再発防止策協議で明らかに／5月、Ｙナンバー車の車庫証明が４台と判明

２００８／2／26

## 県民大会開催　知事と自民県連不参加

２００８年3月23日

米兵事件抗議で６千人が参加／仲井真知事や自民党県連は参加せず、「超党派」の集会とはならず

２００８／3／17

## 後期高齢者医療制度が始まる

２００８年４月１日

75歳以上の高齢者が対象／「後期」という名称と年金からの保険料天引きに苦情・批判が相次ぐ

２００８／５／６

## ガソリン高騰　全国で一斉休漁

２００８年７月15日

経営の窮状を知ってもらうのが狙い／泊漁港内では「燃油高くて出漁できん！」の旗がはためく

２００７／７／15

# 資金確保できず　北部救急ヘリ運休

２００８年７月16日

ＭＥＳＨサポートが一時運休を発表／年会費１千円のサポーターを３万人集め再開目指す

2008年8月8日

# 厳戒態勢の中、北京五輪開幕

２００８年８月８日

開幕前にチベット暴動、四川大地震、ウイグル独立派のテロ／１月には中国製冷凍ギョーザ事件

2008/8/7

# 福田首相が退陣表明　連続の政権放棄

2008年9月1日

6月に戦後初の首相問責決議／辞任会見で「自分を客観的にみることができる、あなたと違って」

伝統行事化?「9月の面変え」

イッツショータイム

2006/9/3

# 年金記録改竄　社保庁が関与認める

2008年9月9日

この頃、沖縄寄港の米原子力潜水艦放射能漏れ、食の産地偽装・期限切れ問題が立て続けに発覚

2008/9/10

## 「おれ様内閣」麻生太郎内閣発足

2008年9月24日

閣僚名簿を自身で読み上げ／少数派閥のため組閣・党人事で森元首相が影響力「森院政」の声も

総裁のイス

2008/9/24

## 米セスナ不時着炎上

2008年10月24日

名護市のサトウキビ畑に／真喜屋小学校まで約100～200メートル／沖国大ヘリ墜落事故に重ね

2008/10/27

## 「チェンジ」訴えたオバマ氏当選

2008年11月4日

米大統領選で共和党マケイン候補に地滑り的大勝／翌年1月に米史上初の黒人大統領が誕生へ



2008／11／4

## 泡瀬訴訟　公金差し止めの判決

2008年11月19日

泡瀬干潟埋め立て開発事業に経済的合理性が認められずと／双方の要請あるも県も市も控訴

2008／11／26

## 流弾か？ 金武町伊芸で銃弾見つかる

２００８年12月15日

この日から県警は鑑定開始／線条痕なく捜査難航／約１年後、被疑者不詳のままの書類送検

なんだ これは!

伊芸区

2008/12/17

## 非正規労働者 半年で失業８万５千人

２００８年12月26日

雇い止めが急速に拡大／７月に正規就業者の割合が20年前と比べ２倍と過去最高を記録した中で

2008/12/29

## Ⅳ 「最低でも県外」の頓挫

### 2009〜2013年

**沖縄県知事** 仲井真弘多(06)

**日本国首相** 麻生太郎(08)/鳩山由紀夫(09)/菅直人(10)/野田佳彦(11)/安倍晋三(12)

**米国大統領** オバマ(09)

**選挙** 衆議院議員(09・12)/参議院議員(10・13)/沖縄県議会議員(12)

**国民栄誉賞** 遠藤実(09)/森光子(09)/森繁久弥(09)/なでしこジャパン(11)/吉田沙保里(12)/大鵬幸喜(13)/長嶋茂雄(13)/松井秀喜(13)

**沖縄県民栄誉賞** 興南高校野球部(10)/宮里藍(10)

**五輪** ロンドン(12) 冬季:バンクーバー(10)

**スポーツ** 興南、春夏連覇(10)/宮里美香、米初V(12)

**催し** 沖縄美ら島総体(10)/第5回世界のウチナーンチュ大会(11)

**経済** 景気後退、観光雇用に荒波(09)/琉銀、公的資金完済(10)

**開業** 沖縄科学技術大学院大学(12)/新石垣空港(13)

**閉店** 那覇OPA(13)

**文化** 琉球舞踊が国の重文指定(09)/1万2千年前の人骨発見(12)

**社会** 99年ぶり震度5相当(10)/沖縄・奄美、世界自然遺産登録へ(13)/女性寿命、3位に転落(13)

**流行語** ワイルドだろぉ(12)/今でしょ(13)/じぇじぇじぇ(13)/お・も・て・な・し(13)/倍返し(13)

# 定額給付金　高額所得者への受給促す

２００９年１月６日

麻生首相はこれまで「さもしい」などと発言／３月には自らも受け取ると度々方針が迷走

ブレ補正機能ないの？

２００９／１／８

# 糸満市で不発弾事故　作業員が重傷

２００９年１月14日

２月３日、閣議決定で不発弾処理や被害補償などは「検討していない」／疑問・不満の声

２００９／２／４

## 支持率急落「麻生降ろし」表面化

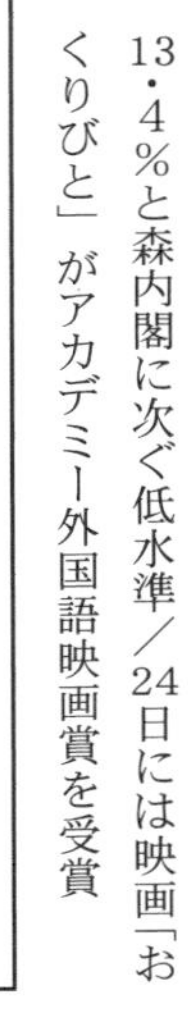

２００９年２月18日

13・４％と森内閣に次ぐ低水準／24日には映画「おくりびと」がアカデミー外国語映画賞を受賞

２００９／２／24

## 小沢代表の秘書逮捕　進退問題に発展

２００９年３月３日

違法な企業献金を受け取った政治資金規正法違反容疑で３人が逮捕／５月11日に民主党代表を辞任

２００９／３／４

# 「核なき世界」のプラハ演説

2009年4月5日

「唯一、核兵器を使用した核保有国としての責任」／米国の「核の傘」の下の日本の姿勢問われる

2009/8/10

# 新型インフル　修学旅行に影響

2009年5月19日

沖縄行き修学旅行のキャンセル数の累計は1万人超え／8月には県内の感染者が死亡、国内初

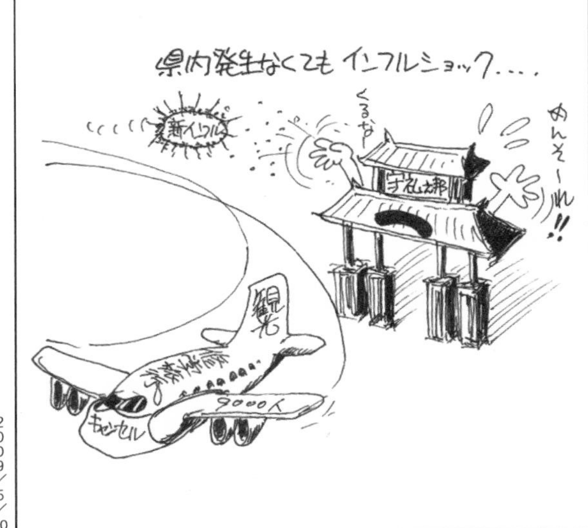


2009/5/20

## 北朝鮮が06年以来2度目の地下核実験

2009年5月25日

国連安保理の制裁決議を無視／4月にはミサイル発射で6カ国協議の離脱を宣言

2009／5／27

## 騒音軽減との答弁に「子どもの議論」

2009年6月5日

一時移転中は軽減と／計測では騒音増で5月からF22が常駐／この日、仲井真知事が厳しく批判

2009／6／8

# 民主党圧勝で鳩山由紀夫内閣発足

２００９年８月30日・９月16日

２００９／９／17

衆院選で民主党が３０８議席。自民党は１１９議席という歴史的大敗を喫し初の第2党に転落／鳩山由紀夫民主党代表が第93代首相に選出され、社民党、国民新党との連立内閣が発足。「政権交代」は流行語にも／政治主導、脱官僚を掲げているが、実現の手法は未知数

２００９／９／１

# 県内移設に反対する県民大会

2009年11月8日

2009/11/9

岡田克也外相が県外移設を事実上断念する考えを表明（10月23日）／同日、北沢俊美防衛相も同様の考えを示す／11月13日のオバマ大統領来日までに辺野古案での決着を米国は要求／「辺野古への新基地建設と県内移設に反対する県民大会」が開かれ、２万１千人が会場を埋めた

2009/10/26

## 事業仕分け初開催　予算の無駄を議論

2009年11月11日

国の事業の妥当性を公開の場で官民が議論／国立沖縄青少年交流の家、国立劇場おきなわも俎上に

2009/11/12

## 辺野古以外を検討へ　結論は越年

2009年12月15日

鳩山首相が新たな移設先検討と初の明言／結論は「数カ月の単位」／連立3党の作業部会で検討へ

2009/12/16

## 名護市長選　移設反対の稲嶺進氏勝利

2010年1月24日

条件付き容認の現職の島袋吉和氏を破る／25日、平野官房長官が結果を「斟酌する必要はない」

2010/1/27

## 移設「政府原案」取りまとめ難行

2010年3月30日

平野官房長官が主導する勝連沖埋め立て案に社民党、国民新党が反対／3月末の策定目標は先送り

2010/3/31

## 島民の半数結集の移設反対集会

２０１０年４月18日

移設候補地に浮上の徳之島で大集会／23日、首相は徳之島に強い影響力を持つ徳田虎雄氏と面会

２０１０／４／20

## 「国外・県外」求め９万人結集

２０１０年４月25日

超党派で県民大会／仲井真知事は米軍基地が過度に集中する沖縄の現状を「差別に近い」と指摘

２０１０／４／26

## 小沢幹事長に「起訴相当」

２０１０年４月27日

検察審査会が嫌疑不十分で不起訴となっていた小沢氏について、全員一致で「起訴相当」と議決

2010／4／28

## 辺野古回帰で来沖、謝罪

２０１０年５月23日

鳩山首相が仲井真知事と会談、「辺野古」移設と説明／４日の来沖・会談では「県内移設」を表明

2010／5／24

## 鳩山首相が辞任を表明　小沢幹事長も

２０１０年６月２日

５月28日、辺野古移設の日米共同声明発表、反発した社民党は政権離脱していた／後継は菅直人氏

２０１０／６／３

## またもや「ねじれ」民主党大敗

２０１０年７月11日

参院選で改選54議席の民主党は44議席／自民党は51議席で改選第１党／沖縄選挙区は島尻安伊子氏

２０１０／７／13

## 所在不明の高齢者続出

2010年8月3日

共同通信が最高齢者の所在確認について都道府県を調査／職員が本人と面会していた自治体は23

2010/8/5

## 興南、春夏連覇　史上6校目の快挙

2010年8月21日

夏の甲子園優勝は県勢初／春は嘉手納と初の2校同時出場／我喜屋優監督の指導論も全国から注目

2010/8/23

## 尖閣周辺　中国船と巡視船が衝突

2010年9月7日

中国人船長が逮捕されるが25日に釈放／11月、事件を撮影したとみられる映像がネット上に流出

2010／9／27

## チリ落盤事故　奇跡の全員生還

2010年10月13日

地下約700メートルに閉じ込められていた作業員33人／日本では円高が進みゼロ金利政策が事実上復活

2010／10／14

## 米中間選挙で民主党大敗

2010年11月2日

草の根保守派運動「ティーパーティー」が後押しの共和党が躍進／民主党は4年ぶりに過半数割れ

## 北朝鮮が韓国・延坪島砲撃

2010年11月23日

直後には双方から戦闘機が出撃／北朝鮮による民間人被害を伴う陸地砲撃は朝鮮戦争休戦以来初

# 仲井真氏が再選　保守県政最長の4期継続

2010年11月28日

2010/11/29

前宜野湾市長の伊波洋一氏を破る／投票率は60・88％で過去2番目の低さ／県外移設を主張する仲井真氏に対し伊波氏は県内移設反対を一貫して主張、主にグアムへの国外移設を訴えていた／民主党は政府との対話に柔軟な仲井真氏の再選に安堵の色

2010/10/4

## 小沢元代表　ついに強制起訴

2011年1月31日

前年9月、「起訴相当」の議決に基づく起訴／明石市の花火大会事故などに続く4例目の強制起訴

2011／2／1

## 「アラブの春」　ムバラク大統領退陣

2011年2月1日

チュニジアのジャスミン革命から2週間後／エジプトのデモは100万人以上で約30年の独裁に幕

2011／2／3

2009〜2013

## 鳩山前首相が方便発言　反発広がる

2911年2月12日

移設先を辺野古に戻した理由の「抑止力」は後付けで、「方便と言われれば方便だった」と弁明



2011／2／14

## メア発言「ごまかしとゆすりの名人」

2011年3月6日

「怠惰でゴーヤーも栽培できない」とも／11月には沖縄防衛局長が「犯す前に犯すと言いますか」

2011／3／8

# 東日本大震災と原発事故

2011年3月11日

2011/3/14

午後2時46分、震度7、マグニチュード9・0の観測史上最大規模の地震発生／死者・行方不明者は約2万人／福島第1原発では全電源喪失でメルトダウン（炉心溶融）が起きた／水素爆発で大量の放射性セシウムが大気中放出／国際評価尺度では最悪のレベル7と判定

2011/3/16

## ユイマールの精神で物心支援を

２０１１年３月16日

高嶺善伸県議会議長が声明発表／県は旅費や宿泊施設など借り上げ被災者受け入れ／県民も動く

2011／3／17

## 「集団自決」訴訟 軍関与の判決確定

２０１１年４月21日

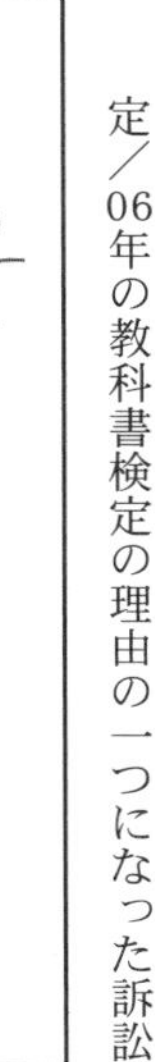

訴えられた大江健三郎氏と岩波書店側の勝訴が確定／06年の教科書検定の理由の一つになった訴訟

2011／4／25

# ビンラディン容疑者殺害と発表

2011年5月1日

イスラム過激派のリーダーで米中枢同時テロを首謀／オバマ大統領は「正義が行われた」と述べた

2011/5/4

# 菅首相が浜岡原発の停止を要請

2011年5月6日

全国54基の原子炉中、危険度が最も高いと以前から指摘／首相がほぼ単独で決断した強行策

2011/5/10

2009〜2013

## 風力発電　沖縄に高い優位性

２０１１年５月21日

導入可能の電力量は県内需要を全て賄える計算／7月1日、政府が37年ぶりに電力使用制限令発動

2011／5／23

## 「なでしこ」Ｗ杯制覇　欧米以外で初

２０１１年７月17日

サッカーの女子ワールドカップで日本代表「なでしこジャパン」初優勝／8月には国民栄誉賞贈呈

2011／7／19

## 各方面でやらせ横行　原発再開のため

2011年7月30日

佐賀県知事が促す発言をしていたことが明らかに／4月、大相撲では八百長問題で厳罰処分下す

2011／8／1

## 「ドジョウ」自認の野田佳彦首相誕生

2011年8月30日

辞意表明から3カ月後になって菅首相が退陣／民主党代表選では2位だったが決選投票で逆転

2011／9／6

2009〜2013

## 「竹富町は無償対象外」と文科相

２０１１年10月26日

八重山教科書採択問題で中川正春文部科学相／憲法抵触との批判には無償の対象は授業料と答弁

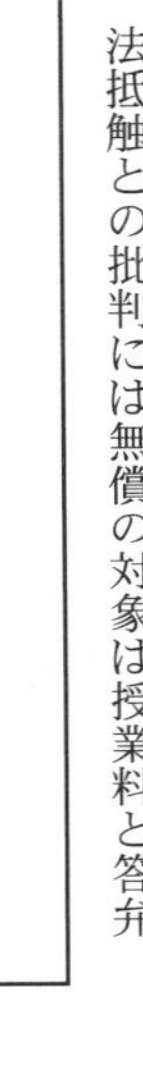


2011／11／24

## 県内29団体がＴＰＰ反対決議

２０１１年10月31日

ＪＡ・行政・医師会などが参加／11月12日、野田首相がオバマ大統領に交渉への参加方針伝える

2011／11／2

## 陸自配備で与那国の「民意」二分

2011年11月18日

住民説明会開催も怒号／「説明を受けたら、既成事実づくりになる」と反対派町民数十人が退席

2011／11／21

## 大阪W選で維新圧勝　都構想に弾み

2011年11月27日

大阪市長選は橋下徹氏、府知事選は松井一郎氏が当選／「大阪維新の会」が府と市のトップを独占



2011／11／29

## 野田首相、普天間移設は「強行せず」

2012年1月14日

テレビ東京番組で明言／「地元の理解が不可欠だ」とも／復帰40周年を迎える沖縄訪問に意欲

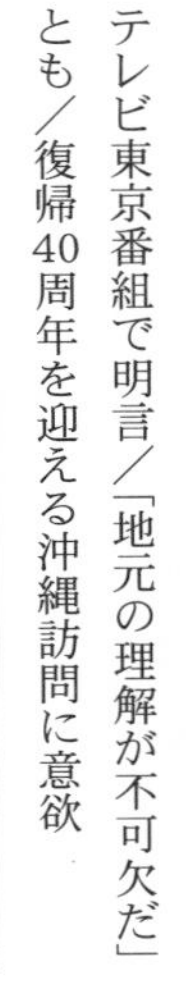


2012／1／16

## 宜野湾市長選は佐喜真淳氏当選

2012年2月12日

伊波洋一氏を破り27年ぶりの保守市政奪還／沖縄防衛局長の選挙介入疑惑で全国から一気に注目

2012／2／13

## 地元に配慮　政府が岩国移転を拒否

2012年2月13日

沖縄の米海兵隊約1500人を移転という米側の打診／外相が「安心して」と山口県に伝える

「NO」ともいえるんだ…。
NO
どーぞ
岩国移転
沖縄
海
兵
隊

2012/2/16

## 北朝鮮「衛星」発射予告　新体制へ布石

2012年3月19日

事実上の長距離弾道ミサイル発射実験／後継者、金正恩氏は4月に朝鮮労働党第1書記に就任

2012/3/22

# アセス評価書に知事意見提出

2012年3月27日

36項目404件に及ぶ「不適切事項」を指摘／「生活環境と自然環境の保全を図ることは不可能」



2012/3/29

# 石原都知事が尖閣購入を表明

2012年4月16日

地権者とは基本的に合意と説明／最終的に国が9月に国有化／中国は反発、大規模な反日デモ

2012/4/18

# 沖縄復帰　節目の40周年

２０１２年５月15日

県と政府が共催の記念式典開催／仲井真知事は基地問題を国民的課題にするよう訴えた

2012／5／17

# 慰霊の日追悼式で「御高配」電文引用

２０１２年６月23日

野田首相が大田実中将の電信文を引用／横路孝弘衆院議長はあいさつでオスプレイ配備に触れた

2012／6／25

## 解散「近いうちに」で3党首合意

2012年8月8日

9日に自民欠席で内閣不信任案否決／その後、李明博韓国大統領が竹島、香港の団体が尖閣に上陸

2012/8/16

## 「人為的ミス」と墜落事故原因を報告

2012年8月29日

森本敏防衛相が仲井真知事にオスプレイ報告書を説明／知事は政府による安全性の保証を求める

2012/8/29

# 県民大会開催もオスプレイ配備強行

2012年9月9日・10月1日

2012／10／2

2012／9／11

米軍の垂直離着陸輸送機オスプレイは4月にモロッコ、6月に米フロリダで墜落事故／9月9日に県民大会が開かれ、参加者10万1千人が「オール沖縄」で配備反対を訴えた／日米両政府は既定方針を変えず、10日に6機が普天間飛行場に飛来。その後、計12機が強行配備された

## 米兵事件　深夜外出禁止令も機能せず

２０１２年11月

10月の集団強姦致傷事件受け禁止令も米兵による民家侵入が続く／オスプレイの夜間訓練も頻繁

2012／11／7

## 衆院選　自公が政権奪取、民主惨敗

２０１２年12月16日

自民、公明合わせ衆議院再可決可能の３２５議席と圧勝／26日には第2次安倍晋三内閣が発足

2012／12／24

## 「建白書」携え東京行動　首相に手渡す

２０１３年１月27・28日

普天間飛行場の県内移設断念とオスプレイ配備撤回を求めて／デモ行進では沿道から激しい罵声も

2013／1／28

## 岸田外相来県　相次ぐ仲井真詣で

２０１３年２月16日

会談で「普天間の固定化は絶対あってはならない」／首相、防衛相、沖縄担当相と来県ラッシュ

2013／2／18

## 37年越しの悲願　新石垣空港が開港

２０１３年３月７日

「南ぬ島石垣空港」は愛称／日本最南端の国際空港／候補地は白保、カラ岳、宮良牧中と変遷の末

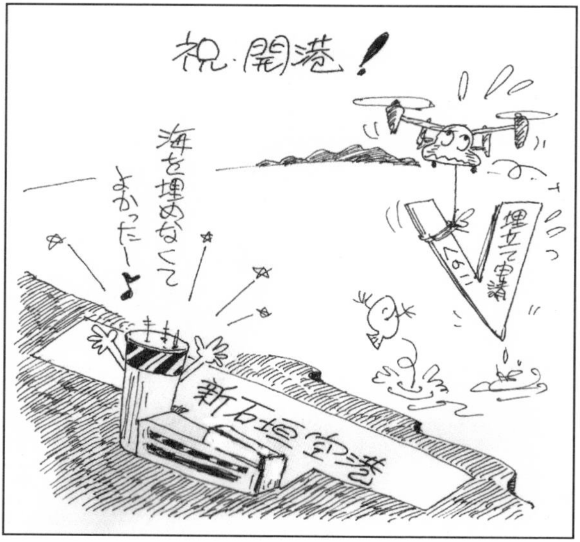

祝・開港！

海を埋めなくてよかったー♪

埋立て申請

新石垣空港

２０１２／３／４

## ＴＰＰ交渉参加を正式表明

２０１３年３月15日

打撃を受ける農業団体からの反発は強い／参加後は「国民に丁寧に情報提供する」と安倍首相

２０１３／３／18

# 長嶋茂雄・松井秀喜氏に国民栄誉賞

2013年4月1日

政府方針決まる／この時期「アベノミクス」への期待から円安・株高が進む／原材料価格上昇も



2013／4／3

# 日台、尖閣諸島周辺の漁業協定に調印

2013年4月10日

日本の排他的経済水域で台湾漁船の操業を認める／領有権問題は棚上げ／県内では歓迎と批判の声

2013／4／11

## 「主権回復の日」式典に抗議の大会

2013年4月28日

「屈辱の日」沖縄大会には約1万人が参加／政府式典と同時刻にスタート／主権とは何かを問うた

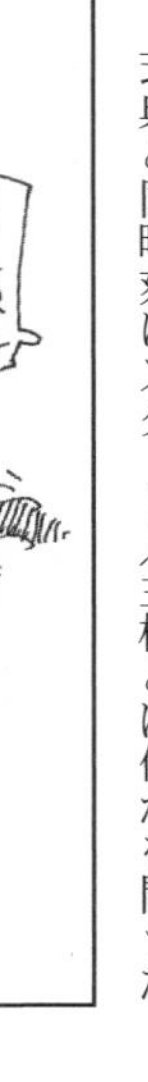


2013/4/29

## 参院選で自民圧勝　ねじれ解消

2013年7月21日

自民党が1人区で敗れたのは岩手、沖縄のみ／憲法改正に前向きな勢力は3分の2には届かず

2013/7/23

## 米軍ヘリ墜落炎上　ハンセン内訓練中

２０１３年８月５日

乗員１人が死亡／米軍は当面の事故型機の飛行停止とオスプレイの追加配備の延期を発表

落ちるまで　安全だとさ 米軍機

再発

ボーシ

延期

HH60

２０１３／８／７

## 東京五輪２０２０　開催決定

２０１３年９月７日

安倍首相は招致の際、福島第１原発の汚染水漏れは「コントロールされている」と明言していた

２０１３／９／10

２００９～２０１３

## 初のしまくとぅば県民大会

2013年9月18日

「しまくとぅばの日」制定から7年／言葉を失うのは文化を失うとの機運高まる

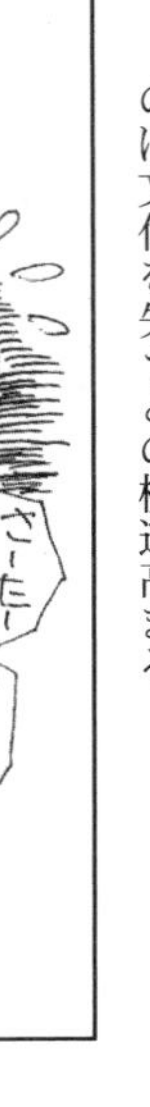


2013／9／19

## 消費税増税を閣議決定　翌年4月から

2013年10月1日

5％から8％に／家計の負担増は年6兆円程度と試算／同時に企業優遇策を打ち出す

2013／10／2

## 特定秘密保護法　言論統制に懸念

2013年10月25日

この日法案を提出／重要法案にもかかわらず審議時間は計約68時間、12月6日に成立

2013／10／28

## 嘉手納にオスプレイ「聞いてない」

2013年11月1日

小野寺防衛相が会見で／嘉手納基地拡充の動きについては「老朽化施設の建て替え」と説明

2013／11／4

## 自民の国会議員・県連 辺野古容認

2013年11月27日

25日、石破茂幹事長が県関係国会議員5人を同席させて会見／この日、県連も容認に転じた

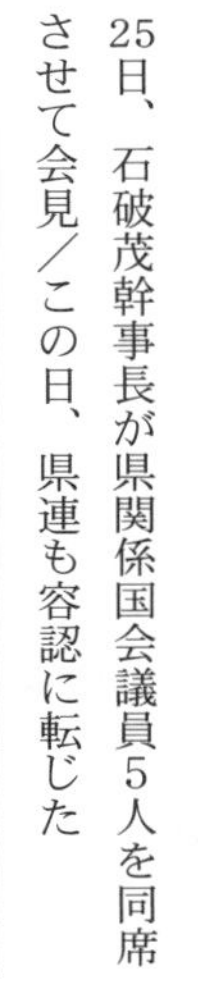


2013/11/28

## 仲井真知事、首相との会談で感謝連発

2013年12月25日

会談後は記者団に「いい正月になる」「ハブ・ア・ナイス・バケーション」／27日、埋め立て承認

2013/12/26

# Ⅴ　オール沖縄と「安倍一強」

## 2014〜2020年

**沖縄県知事**　仲井真弘多（06）／翁長雄志（14）／玉城デニー（18）
**日本国首相**　安倍晋三（12）／菅義偉（20）
**米国大統領**　オバマ（09）／トランプ（17）
**選挙**　衆議院議員（14・17）／参議院議員（16・19）／沖縄県議会議員（16・20）
**国民栄誉賞**　伊調馨（16）／羽生善治（18）／井山裕太（18）／羽生結弦（18）
**沖縄県民栄誉賞**　仲里進（16）／安室奈美恵（18）
**沖縄県民葬**　翁長雄志（17）
**五輪**　リオデジャネイロ（16）　冬季：ソチ（14）／ピョンチャン（18）
**スポーツ**　喜友名諒、世界選手権Ｖ（14）／ドラフト指名、最多の7人（15）／山川穂高ＭＶＰ（18）

**催し**　第6回世界のウチナーンチュ大会（16）
**経済**　求人倍率が初の1倍超え（16）／観光客、過去最高984万2400人（18）／モノレール延長（19）／オリオンビール買収（19）／セブンイレブン沖縄進出（19）
**開業**　伊良部大橋（15）／イオンモール沖縄ライカム（15）／新那覇バスターミナル（18）／西海岸道路（18）／みやこ下地島空港（19）／イーアス沖縄豊崎（20）
**閉店**　沖縄三越（14）／農連市場（17）
**文化**　組踊上演300年（19）
**社会**　沖縄本島に初の雪（16）／子どもの貧困、支援拡大（16）
**流行語**　爆買い（15）／忖度（17）／インスタ映え（17）

## 名護市長選　稲嶺進氏が大差で再選

２０１４年１月19日

移設推進の末松文信氏を破る／投票日前、石破幹事長が５００億円の基金創設を表明



2014／1／13

## ロシアがクリミア編入を宣言

２０１４年３月18日

ウクライナ南部クリミアで16日に住民投票／米、EU、日本は制裁措置／２月にはソチ冬季五輪

2014／3／10

## 消費税が5%から8%に

2014年4月1日

駆け込み需要もあり個人消費は伸び悩む／11月には15年10月予定の10%への再増税の延期と発表

2014/4/1

## 沖縄三越が閉店発表

2014年5月19日

創業57年の歴史誇る老舗百貨店で国際通りの「顔」／閉店の9月21日には多くの人が詰めかけた

2014/5/21

## 集団的自衛権の行使容認を閣議決定

2014年7月1日

従来の憲法解釈を変更／武力行使3要件を設けたが、行使の範囲をめぐり意見分かれる

「どこでもドア」こじ開けた…。

憲法

集団的自衛権

閣議決定

60年

2014/7/2

## オスプレイ　佐賀空港へ暫定移転案

2014年7月22日

「辺野古が完成するまでの間」と小野寺防衛相が表明／5年以内の普天間の運用停止のためと強調

2014/7/24

## 移設作業強行　辺野古の海に杭を打ち込む

2014年8月18日

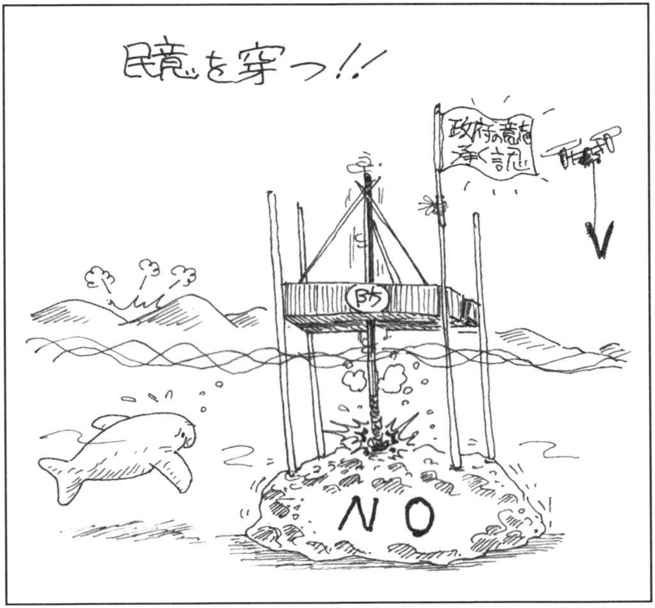

2014/8/19

7月1日、防衛局は作業場確保のためキャンプ・シュワブ内の兵舎などの解体工事を始める／ゲート前には表面が山なり状の鉄板が敷かれた（7月27日）／04～05年の海上での地質調査が市民らの抗議行動で中止に追い込まれて以降、辺野古の海に杭を打ち込んだのは初めて

2014/8/4

## 国会前デモの規制を検討

2014年8月28日

自民党ヘイトスピーチ対策の会合で／高市早苗政調会長の発言／「言論規制」懸念相次ぐ



2014／9／1

## 女性2閣僚が同日辞任

2014年10月20日

小渕優子経産相と松島みどり法相／政治資金の不明瞭な支出と選挙区内でのうちわ配布

2014／10／21

# 翁長雄志新知事が誕生　現職に10万票差

２０１４年11月16日

２０１４／12／11

現職の仲井真弘多氏を破る／他に下地幹郎元郵政担当相、喜納昌吉元参院議員も立候補／「保革を超えた結集」を訴え、革新政党、保守系那覇市議の大半、大手企業グループも支援／普天間の閉鎖・撤去、県内移設断念などを求め政府に提出した「建白書」の実現を公約に掲げた

２０１４／11／13

## 流行語大賞は2点

2014年12月1日

表彰式で日本エレキテル連合は「光栄至極」／集団的自衛権は受賞辞退、受賞者も明らかにされず

2014/12/2

## 退任4日前　辺野古工法変更を承認

2014年12月6日

仲井真弘多知事はコメント発表も取材には応じず／「印鑑の押し逃げ」と野党県議批判

2014/12/1

## 衆院選 反辺野古候補が全勝

2014年12月14日

赤嶺政賢、照屋寛徳、玉城デニー、仲里利信／全国では自民が290議席、第3次安倍内閣発足へ

オール 反新基地
県選挙区
オール沖縄

2014／12／16

## STAP細胞 理研が存在否定

2014年12月19日

小保方晴子氏自身でも作製できなかったとの検証結果を公表／「世紀の発見」から約11カ月

2014／12／23

## 未年の株式市場、不安なスタート

2015年1月5日

ギリシャ情勢への警戒感から売り注文が殺到／大発会としては2年連続の下落



2015/1/6

## 「イスラム国」が2邦人拘束

2015年1月20日

17日に安倍首相がイスラム国対策で2億ドル供与を表明したばかり／2月1日に2氏の殺害映像公開

2015/1/21

# 知事と官房長官が初会談

2015年4月5日

翁長知事は菅官房長官が好んで使う「粛々と」の表現にキャラウェー高等弁務官を思い出すと批判



2015/4/7

# G7 中国の埋め立てに反対

2015年6月8日

中国による南シナ海の埋め立てに「反対」と明記したサミット首脳宣言を採択／ロシアも非難

2015/6/10

## 安保法案　憲法学者の95%が「違憲」

２０１５年６月15日

４日の国会参考人質疑で自民党推薦ながら違憲と断じた長谷部恭男氏らが記者会見で発言

２０１５／６／16

## 百田氏発言・報道圧力

２０１５年６月25日

自民党の勉強会での発言／百田尚樹氏の代表作「永遠のゼロ」／「金目当て」との発言も

２０１５／６／30

## 辺野古埋め立て　作業中断

２０１５年８月４日

菅官房長官が集中協議のため１カ月中断と発表／県も承認取り消しの手続きをその間停止へ

## 安倍首相が戦後70年談話発表

２０１５年８月14日

歴代内閣の立場を継承し「おわび」を記述／謝罪に区切りをつけたい意向も／侵略とは明示せず

2014〜2020

## 五輪エンブレムも白紙撤回

２０１５年９月１日

酷似批判受け／７月には新国立競技場建設計画も白紙化／「祝福」はその際の安倍首相発言

2015/9/2

## 抗議広がる中、安保法成立

２０１５年９月19日

集団的自衛権の行使が可能に／成立後の世論調査では「審議が尽くされたとは思わない」が79％

2015/9/17

## 翁長知事、国連人権理事会で声明発表

２０１５年９月21日

都道府県知事が声明を読み上げるのは初／「自己決定権や人権がないがしろにされている」と訴え

２０１５／９／23

## 久辺３区に特例で直接振興費支給

２０１５年９月23日

公民館の改修・増築など実施へ／５月に３区は受け入れの条件としてのインフラ整備や補償を要請

２０１５／９／28

## TPP大筋合意

2015年10月5日

日程が再三延長、難航を極めた参加12カ国の交渉／県内の畜産業やサトウキビ産業への影響に危惧

2015/10/7

## 辺野古　法廷闘争に突入

2015年11月17日

知事による承認取り消しの取り消しを求め政府が提訴／福岡高裁那覇支部長人事があったばかり

2015/11/19

# 初のマイナス金利、開始

２０１６年２月16日

民間銀行が日銀に預けている資金の一部に手数料を課す金融緩和制度／預金金利引き下げが早速

2016／2／22

# 熊本地震　２度の震度７

２０１６年４月14日・16日

地震活動は大分県にも／両県の避難者は最大で約19万６千人に。関連死も含め犠牲者は１５０人超



2016／4／18

## 元海兵隊員逮捕　不明女性の遺体発見

２０１６年５月19日

６月10日に殺人などで再逮捕／23日に安倍首相と会談した翁長知事はオバマ大統領との面会を要求

２０１６／５／24

## 舛添要一都知事、辞表を提出

２０１６年６月15日

政治資金流用問題などで／７月の選挙では小池百合子元防衛相が当選、初の女性都知事に

２０１６／６／15

# 犠牲者悼み県民大会

2016年6月19日

元米兵事件の被告は地位協定の対象／同事件では県議会が海兵隊撤退を盛り込んだ決議を採択

小手先は もう通じない

日米地位協定

抜本改定

6.19県民大会

2016/6/22

# 英国民投票　EU離脱決定

2016年6月24日

世界株安、円一時99円、東証株価1万5千円割れ／EUの権限拡大、移民流入などへの反発が背景

2016/6/27

## 基地集中74％は「誤解」と米軍司令部

２０１６年６月23日

在日米軍司令部がこの日付のフェイスブックで実際には39％と投稿／面積ではなく施設数で比較



２０１６／６／29

## 参院選　改憲勢力が3分の2超

２０１６年７月10日

18歳以上選挙権での初の国政選挙も投票率低迷／沖縄選挙区は伊波洋一氏、比例では今井絵理子氏

２０１６／６／13

## 高江ヘリパッド着工　衝突で負傷者

2016年7月22日

約2年間中止していた工事を市民排除し強行／同日、ポケモンＧＯの配信開始と国が県を再提訴

2016／7／26

## 東京五輪に空手競技追加

2016年8月3日

ＩＯＣ総会で5競技18種目を承認／10月には鶴保庸介沖縄担当相が沖縄誘致に意欲を示す

2016／10／18

## 2万3千年前　世界最古の釣り針発見

2016年9月19日

サキタリ洞遺跡で発見と発表／旧石器人が水産資源をとるための道具の発見は国内初

旧石器時代から豊かな海を…
へのこ
埋め立て
世界最古の釣り針
2万3千年前のウミンチュ

2016／9／21

## 機動隊員が「土人」発言

2016年10月18日

高江で大阪府警から派遣の機動隊員が／「出張ご苦労さま」と投稿の松井一郎府知事にも批判の声

2016／10／20

# 米大統領にトランプ氏

２０１６年11月９日

米大統領選、共和党ドナルド・トランプ氏が予想を覆し民主党ヒラリー・クリントン氏に勝利

2016／11／10

# 「駆けつけ警護」任務付与

２０１６年11月16日

南スーダンＰＫＯで閣議決定／戦闘に巻き込まれるリスク増、自衛隊海外活動は新たな領域に

2016／11／17

## オスプレイ墜落　名護市安部の海岸に

2016年12月13日

ニコルソン四軍調整官は「感謝されるべき」／同日には別のオスプレイが普天間飛行場で胴体着陸



## 辺野古訴訟上告審　県敗訴確定

2016年12月20日

辺野古違法確認訴訟で最高裁第2法廷は上告棄却／翁長知事の承認取り消しを違法と判断

## 安慶田光男副知事が辞任

2017年1月23日

教員採用介入疑惑で／県三役が不祥事で引責辞任するのは初／翁長知事の側近で政府交渉を担当

2017／1／23

## 緊迫の防衛省日報　南スーダンPKO

2017年2月7日

現地の平穏さを強調し続けていた政府見解と格差の内容／共謀罪から名前を変え国会に提出方針も



2017／2／15

## 森友学園、国有地を大幅値引きで取得

2017年2月9日

独特の教育方針で知られる学園による売買と朝日新聞が報道／野党は財務省の忖度と追及

2017／3／1

## 高江ヘリパッド　工事費6倍超

2017年2月28日

6月には警備費29億円の追加／東京五輪では当初の7340億円が1兆8千億との試算が出ていた

2017／3／2

## 核兵器禁止条約　日本不参加を表明

２０１７年３月27日

７月に条約採択も核保有国と日本は不参加／条約に尽力したＩＣＡＮがこの年のノーベル平和賞に

核傘下で不参加・・・.

MADE IN USA

核兵器禁止条約

忖度

HIROSIMA

NAGASAKI

２０１７／４／４

## 比嘉大悟、ボクシング世界王者に

２０１７年５月20日

25年ぶりの県勢正規王者／具志堅用高会長と同じ21歳で戴冠

２０１７／５／22

# 森友に続き加計学園問題も浮上

２９１７年５月29日

獣医学部新設をめぐり「総理の意向」と記載された文書の存在を前川喜平前事務次官が証言

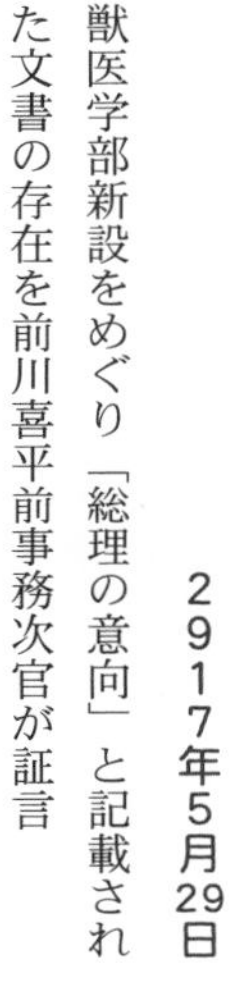


2017／6／14

# 「共謀罪」成立　計画段階でも処罰

２０１７年６月15日

政府は一般人は対象外と主張／双眼鏡持っていたら犯罪の下見、との金田勝年法相による珍答弁も

2017／6／19

## 大田昌秀元知事が死去

2017年6月12日

沖縄戦の研究者で県知事を2期務めた／代理署名訴訟名など国との対峙も／7月26日に県民葬

2017/7/27

## 北朝鮮ミサイル、再び北海道通過

2017年9月15日

過去最長の3700㌔でグアムにも届く距離／Jアラートを通じ12道県で避難呼びかけ

2017/9/18

## 民進党分裂　衆院選は自公が3分の2

2017年9月28日

希望の党への合流へ／「排除」され新党設立／衆院選は立憲民主党が野党第1党に（10月22日）

ツキが出てきた…？

2017/10/5

## 飛行訓練中の米軍ヘリ、高江で炎上

2017年10月11日

県職員が放射線量を測定しようとするも入れず／15年2月のN4地区運用開始後、訓練が激増

2017/10/12

# 普天間で続けて落下事故　誹謗中傷も

2017年12月7日・13日

2017/12/21

保育園の屋根でCH53ヘリの部品が見つかり翌週には普天間第二小学校に重さ約8キロの窓が落下／19日に同型機の飛行を再開／学校上空を飛行しないという確約を求めたが返答は「最大限可能な限り避ける」／保育園には「自作自演」などと誹謗中傷する電話やメールが相次いだ

2017/12/20

## 普天間所属のヘリ、またまた不時着

2018年1月23日

渡名喜村内のヘリポートに／6日に伊計島、8日に読谷村にも／続発するトラブルに県民反発

2018/1/25

## 渡具知武豊氏が名護市長選当選

2018年2月4日

基地問題の是非を示さず経済振興を掲げ戦った／前回自主投票の公明と維新の会も推薦

2018/2/6

# 南北融和をアピールした平昌五輪

2018年2月25日

この日閉会式／羽生結弦、小平奈緒らの活躍に沸く／9日の開会式、韓国と北朝鮮が合同入場行進

金金金!!

2018/2/27

# 森友公文書改竄で首相「責任痛感」

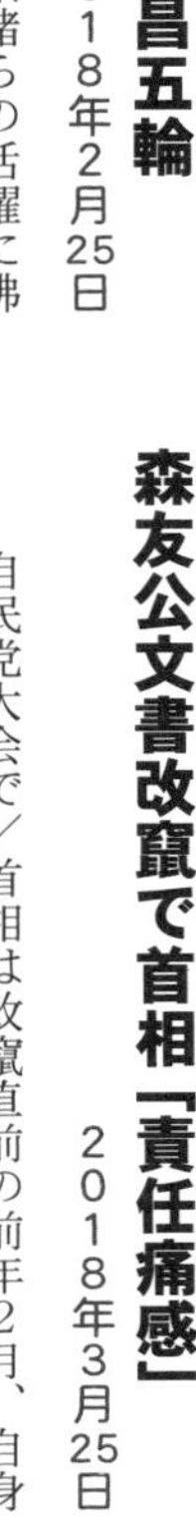

2018年3月25日

自民党大会で／首相は改竄直前の前年2月、自身や夫人関与なら「総理も議員も辞める」と答弁

2018/3/27

2014～2020

## セクハラ問題　発言のたびに「炎上」

２０１８年５月４日

麻生太郎財務相が「セクハラ罪という罪はない」と発言／同問題では前次官擁護の発言繰り返す

２０１８／５／９

## 史上初の米朝首脳会談

２０１８年６月12日

トランプ米大統領と金正恩朝鮮労働党委員長／これまでの「最大限の圧力」は会談では使われず

２０１８／６／７

## 名護市数久田　射撃演習場付近で流弾

2018年6月21日

02年にも同地区で流弾事故（87頁）／12月に米軍は自らの銃弾と認める

2018/7/3

## 西日本豪雨迫る夜に「赤坂自民亭」

2018年7月5日

宴会の様子がSNSに／「六ゾウ」は1票の格差是正で18日成立の参院6増法のこと

2018/7/12

# 翁長雄志知事が死去

2018年8月8日

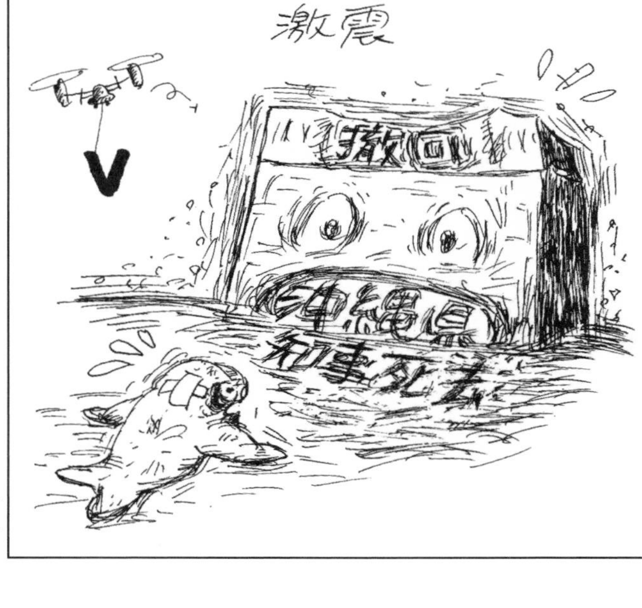


2018/8/9

現職知事の死亡は初／辺野古新基地阻止の最後のカードといわれる埋め立て承認撤回に踏み切ると表明（7月21日）／遺志を継いだ両副知事が手続きを進め、次の知事の就任を待たずに埋め立て承認を撤回（8月31日）／10月9日には県民葬

2018/8/15

## 中央省庁が障害者雇用水増し

２０１８年８月28日

政府が調査結果発表／不正は８割の省庁で／自民党総裁選は安倍首相と石破元幹事長の一騎打ちに

2018/8/29

## 安室奈美恵さん引退

２０１８年９月16日

前夜祭での熱唱に続きデビューから25周年のこの日、新たな門出を祝う花火大会を開催

2018/9/19

2014～2020

## 玉城デニー氏が新知事当選

2018年9月30日

翁長前知事の後継候補／県知事選では過去最高の39万6632票を獲得し佐喜真淳氏を破る

2018/10/1

## 日産ゴーン会長逮捕

2018年11月19日

役員報酬を少なく記載、金融商品取引法違反で／容疑否認のまま、法人としての日産も起訴

2018/11/20

## 辺野古埋め立て土砂投入

2018年12月14日

8月の埋め立て承認を撤回も、沖縄防衛局は私人として執行停止を申し立て、認められたことで

2018/12/18

## 県民投票　宮古島市が不参加表明

2018年12月18日

その後、宜野湾、沖縄、石垣、うるまも／2択では複雑な県民意思を表明できないとの声も挙がる

2018/12/25

## 新基地県民投票　7割が工事反対

2019年2月24日

「どちらでもない」を加えた3択で全県実施／投票率は52・48％／2月末は政府が県と約束した普天間飛行場「5年以内の運用停止」の期限／菅義偉官房長官は「辺野古移設への地元協力が前提」と県に責任転嫁（19日）／「はやぶさ2」が小惑星「りゅうぐう」に着陸（22日）

2019/2/25



2019/2/21

## イチロー引退

2019年3月21日

日米通算4367安打の大打者／記者会見では「後悔などあろうはずがありません」と語った

イチロー悔い無し、新基地クイだらけ…？

引退

軟弱地盤

2019／3／25

## 岩屋毅防衛相、「今後は丁寧に説明」

2019年4月7日

住民へ説明なしに陸自宮古島駐屯地に弾薬を保管した問題／防衛相は市長や地元代表者に謝罪

2019／4／9

## 「令和」改元

2019年5月1日

新天皇陛下が即位／30年余の「平成」が終わり「令和」に。前天皇陛下は退位し、上皇となった

2019／5／1

## 改正ドローン規制法成立

2019年5月17日

上空飛行を禁じる施設に自衛隊施設や在日米軍基地が追加／「知る権利を侵害」と日本新聞協会

2019／5／14

# トランプ大統領来日　令和初の国賓

２０１９年５月25日

首相は大相撲観戦などで歓待／首脳会談では難題先送りも「８月に大きな発表ができる」と大統領



２０１９／５／27

# ２千万円貯蓄の試算に首相陳謝

２０１９年６月10日

３日、金融審議会が年金制度の限界認める報告書／防衛省調査ミスは定規で測ったためと明らかに

２０１９／６／12

## 参院選は与党過半数

2019年7月21日

安倍政権下での憲法改正に前向きな「改憲勢力」は3分の2を割り込む／れいわ新選組が2議席

選挙終了の合図？

2019/7/25

## グアム　遺跡発見で工事一時中断

2019年8月27日

実弾射撃場建設予定地で石器や陶器の破片などの遺跡発見／在沖米海兵隊の移転計画に影響か

2019/8/29

## 米中、制裁・報復関税の応酬続く

2019年9月1日

この日、米が第4弾の制裁関税を発動、中国も追加関税／「経済冷戦」へ本格突入、世界は警戒

2019/9/4

## 「セクシーに取り組む」発言が波紋

2019年9月23日

気候行動サミットが閉幕／「積極的に発信する」と乗り込んだ小泉進次郎環境相は演説の機会なし



2019/9/28

## 消費税8%から10%に

2019年10月1日

食料品への軽減税率やポイント還元が実施／増収分一部活用の幼児教育・保育の無償化も始まる

2019/10/2

## 「沖縄の象徴」首里城焼失

2019年10月31日

正殿、北殿、南殿など含む8棟が焼損／11月11日、政府は「国の責任で再建」との基本方針決める

2019/11/7

## 私物化批判　桜を見る会

２０１９年11月13日

首相後援会多数が参加／この日、来春の中止を発表／資料請求の日に招待者名簿を内閣府が廃棄

２０１９／11／14

## 地球温暖化対策のＣＯＰ25開幕

２０１９年12月２日

気候行動サミットで演説したグレタ・トゥンベリさんも参加／「ワンチーム」はラグビーW杯から

２０１９／12／５

２０１４～２０２０

## 米軍ヘリ「go down」

2020年1月25日

沖縄本島東沖180㌔で米軍ヘリ「着水」と沖縄防衛局発表／玉城知事は「墜落」との認識示す

2020/1/28

## 久米島出荷の優良牛、血統違い14件

2020年3月13日

父牛と異なるDNAだったことが判明／14日には豚熱感染防止でアグーの久米島への避難を始まる

2020/3/16

## 新型コロナ　約1カ月ぶりの感染確認

２０２０年３月21日

2020／3／19

スペイン旅行から帰国した10代女性の感染確認と県が発表／２月20日から新規感染者ゼロだった／28日、嘉手納基地の兵士２人の感染発表も米国防総省は感染者数の詳細を非公開に／４月７日、国は７都府県対象の緊急事態宣言／シマクサラシは沖縄の伝統的な悪厄払いの儀礼

2020／4／1

# 国の関与取消訴訟、県の敗訴確定

2020年3月26日

最高裁が沖縄防衛局を「私人」認定／30日、県はサンゴ採捕許可指示は違法と係争委に審査申し出

2020/3/31

# 普天間飛行場から泡消火剤流出

2020年4月10日

発がん性指摘のPFOS含む大量の泡が宇地泊川へ／9月、原因が米兵のバーベキューだと判明

2020/4/15

# 辺野古埋め立て　設計変更申請

２０２０年４月21日

軟弱地盤改良のため７万１千本の杭を打ち込む計画／完成まで12年、総工費は９３００億円を見込む

２０２０／４／23

# 検察定年延長　見送り

２０２０年５月18日

閣議決定で定年延長の黒川弘務東京高検検事長は賭けマージャンで辞任／25日、官邸判断で訓告処分と報道

２０２０／５／26

## 秋田・山口への地上イージス断念へ

2020年6月15日

「コストと配備時期に鑑み」河野防衛相が表明／玉城知事は「辺野古の方がより無駄」とコメント

2020／6／17

## 香港安全法成立　一国二制度が瀬戸際

2020年6月30日

同時期、トランプ米大統領は黒人男性暴行死事件などへの対応で支持率を落とす中、大規模集会

2020／7／1

## Go To トラベル、東京は除外

２０２０年７月22日

観光支援目的のキャンペーン開始／18日、新型コロナウイルス感染者が連日３００人近くの東京発着が除外

二兎を追ってみる…。

2020/7/20

## 感染率ワースト 緊急事態宣言を延長

２０２０年８月13日

警戒レベル最高位に引き上げも来県自粛は求めず／直近１週間の10万人あたりの感染者数は41・52人

2020/8/13

2014〜2020

## 那覇軍港移設　浦添北側案で合意

２０２０年８月18日

県、浦添市、那覇市の３者会談／南側主張の松本哲治浦添市長は「苦渋の決断」／県議会与党政党は反発

2020/8/19

## 持病再発で安倍晋三首相辞意

２０２０年８月29日

低迷していた支持率は表明直後に20ポイント以上もアップ／９月16日、99代首相に菅義偉官房長官が選出

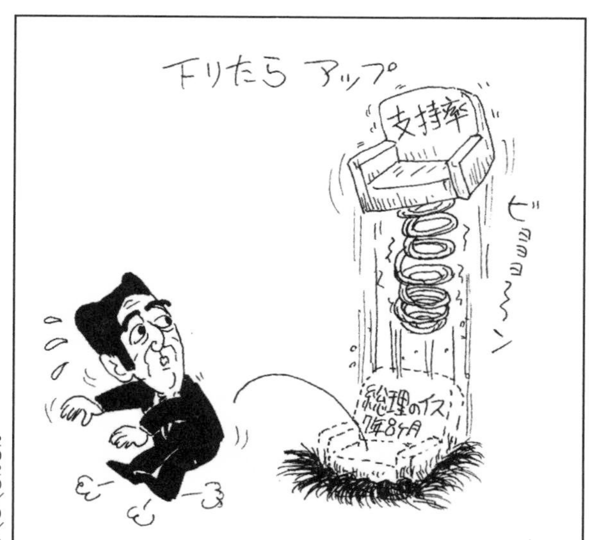


2020/9/2

解説

# 平成の答え合わせ

## 沖縄の時事漫評の伝統とは

新城　和博

砂川友弘氏は、渡嘉敷唯夫、大嶺信一らが築いた戦後沖縄の時事漫評という伝統を継承した漫画家である。沖縄が抱えた問題をシャープに視覚化するということは、評論的な視野と御万人の民意をクロスさせるセンス（意志といってもいいか）と職人的な持続性によって、日本、アメリカの不条理を明らかにするという面がある。

沖縄問題は、令和、平成、復帰後の昭和においても、結局のところ米軍基地問題に集約される。本書では、普天間基地移設問題が辺野古沖新基地建設問題にねじれていく過程が、泥沼化どころか、軟弱地盤に杭を打って工事が長期にわたろうとも強行する姿勢を変えない日米政府の有り様が切り取られている。ざっと拾い上げても、「果して思惑どおりに…」（37頁）、「その場しのぎの新案浮上」（64頁）、「かくも長き…。」（１０４頁）、「長官の下駄」（１０９頁）、「タライまわしにＮＯ！」（１４５頁）、「のこのこ　ぬけぬけと…」（１４９頁）、「民意を穿つ!!」（１８３頁）、「沖縄では司法も墜落」（２０２頁）、「埋めよ、増やせよ…?」（２１７頁）、「よってたかって…。」（２２８頁）と、数限りない。

たとえば、大田昌秀知事時代の「ウークイ判決」（36頁）は、代理署名訴訟の結果を報じるテレビを、旧盆の仏壇を背にじっと見入る家族とウヤファーフジの姿が描かれている。沖縄の土地を強制的に使用してきた軍事基地とは、沖縄で生きてきた人びとの歴史そのものを奪ってきたことを、祖先の姿を通して静かに表し、収録された一コマの中でも特に心に残る。

翁長雄志知事時代に法廷闘争に突入した際に描かれた「もう手は打った?」（１９４頁）は、司法という土俵において政府に都合の良い判例がある高裁支部長に交代させた「代執行」のまわし姿の安倍総理がパチンと手を打ち、相対する「取り消し」のまわし姿の翁長知事が「ネコだましか…」と苦虫をかみつぶしている。その後の三権分立が崩壊したかのような平成日本の有り様さえ感じさせられる。

本書では、５人の沖縄県知事が登場する。それぞれ当選したときの表情は晴れやかだが、やがて苦痛にみちた顔になっていく。ただ仲井真弘多知事氏だけは、にこやかな顔になって（「いい正月がむかえられる?」、178頁）、最後に辺野古工法の変更を承認する姿は（「ピンポンダッシュなんて…まさかねぇ」、186頁）なかなか印象的だ。

海を巡る問題もこの30年では重要なテーマとなっている。海上案を撤回して完成した新石垣空港は「海を埋めなくてよかった」と喜ぶ（「祝　開港!」、172頁）一方、泡瀬埋め立て（「海葬計画?」90頁、「アワセて検討します」137頁）、尖閣諸島問題（「みんなかってに線描く…」111頁）。沖縄の動物たちの視線は我々にとっても厳しいものだ。辺野古沖新基地関連では次第に傷だらけになっていくジュゴン（「オキナワだから?」、230頁）、八重山教科書問題ではにらみをきかすカンムリワシ（「教科書にのせたい…」、162頁）。

「先生!これ読むと傾いちゃうんですけど…。」（76頁）と歴史教科書の右傾化を生徒の傾く姿勢で描き、戦争の記憶の風化を危惧した「ざわわ　ざわわ」（102頁）では、教科書間からこぼれた砂塵から亡霊のような兵士の姿がよみがえっていく。歴史をどうつないでいくのかという普遍的なテーマは沖縄のみならず、人類全体がいま共有すべきものだろう。

「シタイヒャー!」（97頁）と叫んだのは、史上最年少、アマチュアで女子ゴルフツアー優勝した宮里藍。「ゆくしー力」（156頁）と飛んで行く海兵隊ヘリの姿は、米軍基地の抑止力について「方便と言われれば方便だった」と釈明した鳩山前首相の言葉をうまくひっくり返した。「ドナン」「バリ」の擬音は、それぞれ島の言葉で「与那国」と、島の悲しい伝説を持つ崖の裂け目である「クブラバリ」のこと(「島をまっぷたつ!」、163頁)。自衛隊基地配備問題によって与那国島が激しく真っ二つに分断された様子を描いている。「島言葉で月見会」(176頁)で、同じ月のもと、沖縄、宮古、八重山、それどれの言葉でシマー(泡盛)を飲みながら語り合うシマンチュが描かれている。絶滅危惧言語と言われているが、沖縄の言葉の多様性を表したこの作品は、さりげなく楽しいし、美しい。

もっとも頻繁に出てきた漢字があった。「怒」である。ある時は抗議のプラカードとして(149頁)、ある時はヘリの爆音として(169頁)。もっとも強烈なのは「われらは怒人!!」(200頁)。ヘリパッド工事で揺れる高江に大阪府警から派遣された機動隊員が、抗議活動する市民に向かって「土人」「シナ人」と発言したことを描いている。「怒人」をどう読みとくか。

30年間というと、歴史が一回りしたことを体感できる年月である。1991年から2020年は、世界的には世紀をまたいでいるが、日本でいえば平成という時代がほぼ重なる。平成は、沖縄にとってどういう時代であったのか。平成の最初に問われた問題をどう解決したのか、またはやはり何も変わらなかったのか。砂川友弘氏がこの30年間描いてきたいくつもの一コマを重ねることによって、いわば平成の答え合わせができた。

(ボーダーインク編集者)

■ム・メ・モ



■ヤ



■ユ

■ヒ

**■ソ**



**■タ**

■ス



■セ

■サ



■シ

**■キ**

■エ



■オ

# 索　引

1．本索引は漫評作品に描かれた人物・事項，解説文に記された重要事項を単純五十音順に配列したものである。

2．（　）は補足，〔　〕は同一項目だが別表記，cf →は参照すべき項目であることをそれぞれ示している。

**砂川友弘**（すなかわ・ともひろ）

1952 年 11 月旧平良市生まれ。宮古高校、琉球大学漫画研究会出身。
宮古島に帰郷後、1982 年から琉球放送通信員を務める傍ら、同年から 11 年間、地元紙「日刊宮古」でみゃーくふつ（宮古言葉）を用いた４コマ漫画「Mr. ガラサ」を「ウルカ・友」名義で連載、1994 年に単行本化。
1989 年から沖縄タイムス夕刊で「岩十（がんじゅー）おじー」を３年間連載。91 年から同朝刊で時事漫評の連載を開始。
宮古野鳥の会顧問。

砂川友弘の時事漫評 1991～2020

2020 年 12 月 15 日　初版発行

著　者　**砂川友弘**

編　集　沖縄タイムス社

発行所　沖縄タイムス社
〒 900-8678　沖縄県那覇市久茂地２－２－２
電話（出版部）098-860-3591
URL　http://www.okinawatimes.co.jp

印刷所　光文堂コミュニケーションズ㈱


printed in Japan　ISBN978-4-87127-274-2 C0031
定価はカバーに表示してあります。